明趙府居敬堂本《素問》

（中）

主　編◎錢超塵
副主編◎王育林　劉　陽

北京科学技术出版社

《黄帝内經》版本通鑒・第一輯

明趙府居敬堂本《素問》（中）

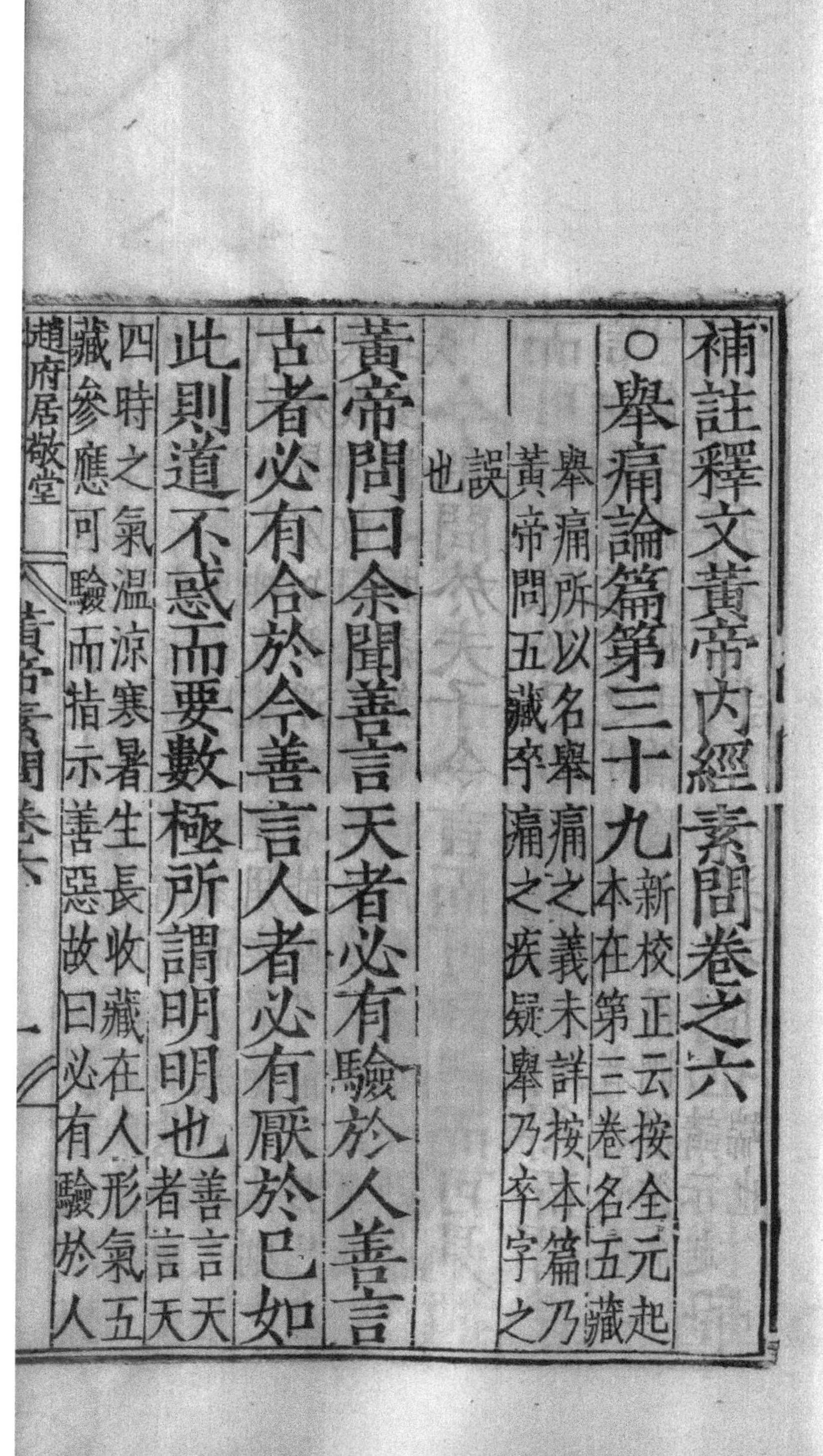

補註釋文黃帝内經素問卷之六

○舉痛論篇第三十九

新校正云按全元起本在第三卷名五藏舉痛所以名舉痛之義未詳按本篇乃黃帝問五藏卒痛之疾疑舉乃卒字之誤也

黃帝問曰余聞善言天者必有驗於人善言古者必有合於今善言人者必有厭於已如此則道不惑而要數極所謂明明也善言天者言天四時之氣溫涼寒暑生長收藏在人形氣五藏參應可驗而指示善惡故曰必有驗於人

善言古者謂言上古聖人養生損益之迹與今養生損益之理可合而與論成敗故曰必有合於今今也善言人者謂言形骸骨節更相支柱筋脉束絡皮肉包裹而五藏六府次居其中假七神五藏而運用之氣絶神去則之於死是以知彼浮形不能堅久靜慮於已亦與彼同故曰必有厭於已也夫如此者是知道要數之極悉無疑惑深明至理而乃能然矣今余問於夫子令言而可知視而可見捫而可得令驗於已如發蒙解惑可得而聞乎言如發開童蒙之耳解於疑惑者之心令一一一條理而目視手循驗之可得捫循也岐伯再拜稽首對曰何道之問也請示起端也帝

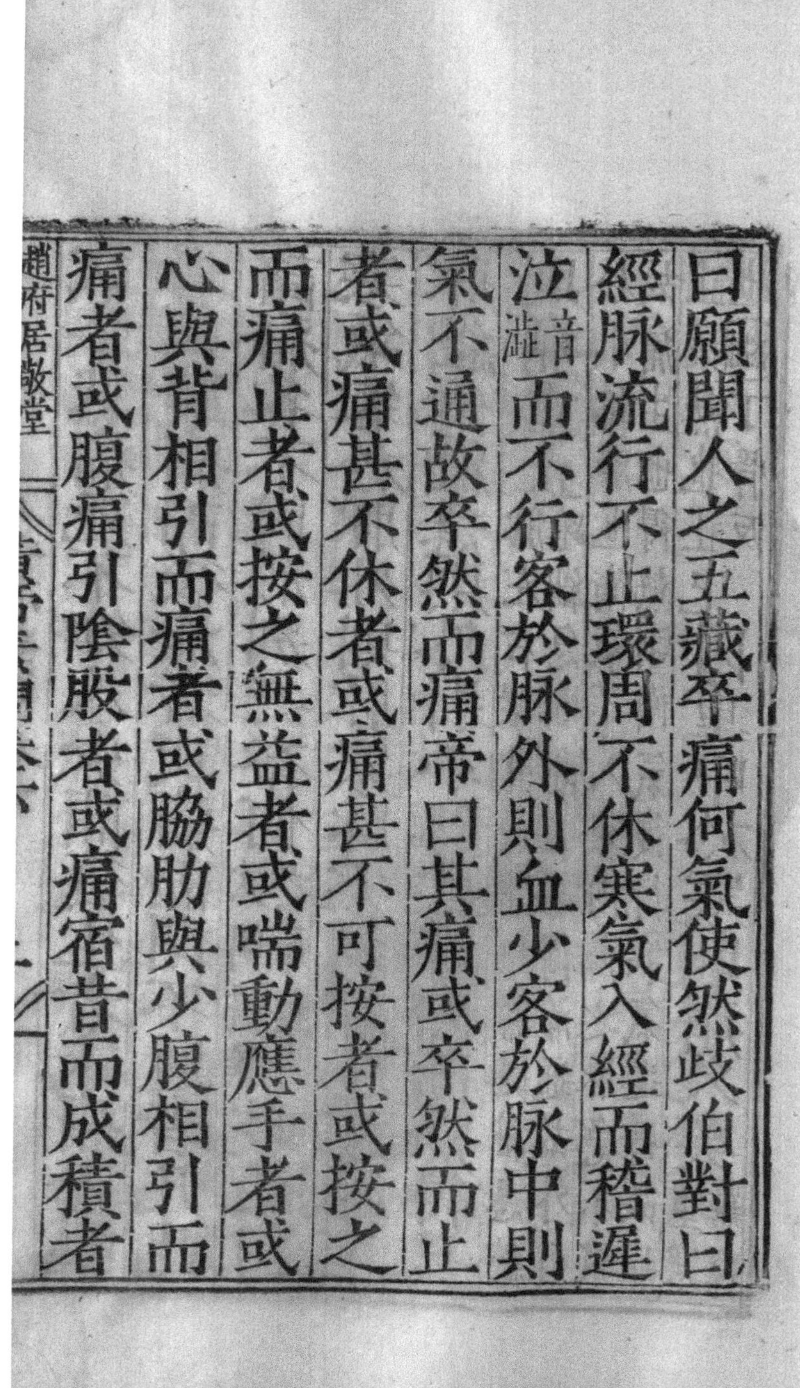

曰願聞人之五藏卒痛何氣使然岐伯對曰經脉流行不止環周不休寒氣入經而稽遲泣（音澁）而不行客於脉外則血少客於脉中則氣不通故卒然而痛帝曰其痛或卒然而止者或痛甚不休者或痛甚不可按者或按之而痛止者或按之無益者或喘動應手者或心與背相引而痛者或脇肋與少腹相引而痛者或腹痛引陰股者或痛宿昔而成積者

或卒然痛死不知人少間復生者或痛而嘔者或腹痛而後泄者或痛而閉不通者凡此諸痛各不同形别之奈何（欲明異候之所起）岐伯曰寒氣客於脉外則脉寒脉寒則縮踡縮踡則脉絀急絀急則外引小絡故卒然而痛得炅則痛立止（脉左右環故得寒則縮踡絀急縮踡絀急則衛氣不得流通故外引於小絡脉也衛氣不入寒内薄之脉急不縱故痛生也得熱則衛氣復行寒氣退辟故痛止炅熱也止已也〔絀〕丁骨反）因重中於寒則痛久矣（重寒難釋）

故痛久不消寒氣客於經脉之中與炅氣相薄則
脉滿滿則痛而不可按也按之痛甚者其義具下文寒氣
稽留炅氣從上則脉充大而血氣亂故痛甚
不可按也脉既滿大血氣復亂按之則邪氣攻內故不可按也寒氣客
於腸胃之間膜原之下血不得散小絡急引
故痛按之則血氣散故按之痛止膜謂鬲間之膜原謂
鬲肓之原血不得散謂鬲膜之中小絡脉內血也絡滿則急故牽引而痛生也手按之則
寒氣散小絡緩故痛止寒氣客於俠脊之脉則深按之

不能及故按之無益也俠脊之脉者當中之督脉也次兩傍足太陽脉也督脉者循脊裹太陽者貫膂筋故深按之不能及也若按當中則脊節曲按兩傍則膂筋蹙合曲與蹙合皆衛氣不得行過寒氣益聚而內畜故按之無益寒氣客於衝脉衝脉起於關元隨腹直上寒氣客則脉不通脉不通則氣因之故喘動應手矣衝脉奇經脉也關元穴名在臍下三寸言起自此穴即隨腹而上非生出於此也其本生出乃起於腎下也直著謂行會於咽喉也氣因之謂衝脉不通足少陰氣因之上滿衝脉與少陰並行故喘動而應手也矣寒氣客於背俞之脉則血脉

泣脉泣則血虚血虚則痛其俞注於心故相引而痛按之則熱氣至熱氣至則痛止矣背俞謂心俞脉亦足太陽脉也夫俞者皆内通於藏故曰其俞注於心相引而痛也按之則温氣入温氣入則心氣外發故痛止寒氣客於厥陰之脉厥陰之脉者絡陰器繫於肝寒氣客於脉中則血泣脉急故脇肋與少腹相引痛矣厥陰者肝之脉入髦中環陰器抵少腹上貫肝鬲布脇肋故曰絡陰器繫於肝脉急引脇與少腹痛也厥氣客於陰股寒氣上及少腹血泣在下相引

故腹痛引陰股亦厥陰肝脉之氣也以其脉循陰股入毛中環陰器上抵少腹故曰厥氣客於陰股寒氣上及於少腹也寒氣客於小腸膜原之間絡血之中血泣不得注於大經血氣稽留不得行故宿昔而成積矣言血爲血氣之所凝結而乃成積寒氣客於五藏厥逆上泄陰氣竭陽氣未入故卒然痛死不知人氣復反則生矣言藏氣被寒擁胃而不行氣復得通則已也新校正云詳注中擁胃疑作擁冒○寒氣客於腸胃厥逆上出故痛而嘔也腸胃客寒留止則腸氣不

得下流而反上行寒不去則痛生陽上行則嘔逆故痛而嘔也寒氣客於小腸小腸不得成聚故後泄腹痛矣小腸爲受盛之府中滿則寒邪不居故不得結聚而傳下入於迴腸迴腸廣腸也爲傳導之府物不得停留故後泄而痛熱氣留於小腸腸中痛癉熱焦渴則堅乾不得出故痛而閉不通矣熱滲津液故便堅也帝曰所謂言而可知者也視而可見奈何謂候色也歧伯曰五藏六府固盡有部謂面上之分部視其五色黃赤爲熱中熱則色黃赤白爲寒陽氣少血不上榮於色故白青

黑爲痛血凝泣則變惡故色青黑則痛此所謂視而可見者也帝曰捫而可得奈何捫摸也以手循摸也岐伯曰視其主病之脉堅而血及陷下者皆可捫而得也帝曰善余知百病生於氣也夫氣之爲用虛實逆順緩急皆能爲病故發此問端怒則氣上喜則氣緩悲則氣消恐則氣下寒則氣收炅則氣泄驚則氣亂新校正云按太素驚作憂勞則氣耗思則氣結九氣不同何病之生岐伯曰怒則氣逆甚則嘔血及飧泄

新校正云按甲乙經及太素飱泄作食而氣逆**故氣上矣**怒則陽氣逆上而肝氣乘脾故甚則嘔血及飱泄也何以明其然怒則面赤甚則色蒼靈樞經曰盛怒而不止則傷志明怒則氣逆上而不下也**喜則氣和志達榮衛通利故氣緩矣**氣脉和調故志達暢榮衛通利故氣徐緩**悲則心系急肺布葉舉而上焦不通榮衛不散熱氣在中故氣消矣**布葉謂布蓋之大葉○新校正云按甲乙經及太素而上焦不通作兩焦不通又王注肺布葉舉謂布蓋之大葉疑非全元起云悲則損於心心系急則動於肺肺氣繫諸經逆故肺布而葉舉安得謂肺布爲肺布蓋之大葉**恐則精却**

却則上焦閉閉則氣還還則下焦脹故氣不行矣恐則陽精却上而不下流故却則上焦閉也上焦既閉氣不行流下焦陰氣亦還迴不散而聚爲脹也然上焦固禁下焦氣還各守一處故氣不行也○新校正云詳氣不行當作氣下行也寒則腠理閉氣不行故氣收矣腠謂津液滲泄之所理謂文理逢會之中閉謂密閉氣謂衛氣行謂流行收謂收斂也身寒則衛氣沉故皮膚文理及滲泄之處皆閉密而氣不流行衛氣收斂於中而不發散也○新校正云按甲乙經氣不行作營衛不行炅則腠理開榮衛通汗大泄故氣泄矣人在陽則舒在陰則慘故熱則膚腠開發榮衛大通津液

外滲而汗大泄驚則心無所倚神無所歸慮無所定故氣亂矣氣奔越故不調理○新校正云按太素驚作憂字勞則喘且汗出外內皆越故氣耗矣疲力役則氣奔速故喘息氣奔速則陽外發故汗出然喘且汗出內外皆踰越於常紀故氣耗損也思則心有所存神有所歸正氣留而不行故氣結矣繫心不散故氣亦停留○新校正云按甲乙經歸正二字作止字

○腹中論篇第四十新校正云按全元起本在第五卷

黃帝問曰有病心腹滿旦食則不能暮食此

爲何病岐伯對曰多爲鼓脹心腹脹滿不能再食形如鼓脹故名鼓脹也。新校正云按太素鼓作穀字帝曰治之奈何岐伯曰治之以雞矢醴一劑知二劑已按古本草雞矢並不治鼓脹惟大利小便微寒命方制法當取用處湯漬服之帝曰其時有復發者何也復謂再發言如舊也岐伯曰此飲食不節故時有病也雖然其病且已時故當病氣聚於腹也飲食不節則傷胃胃脈者循腹裏而下行故飲食不節時有病者復病氣聚於腹中也帝曰有病胷脇支滿者妨於食病至則先聞腥臊臭出清液先唾血四支清目眩時時前後血病名爲何何以得之清液清水也亦謂之清涕清涕者謂從竅漏中漫液而下水出清冷也眩謂目視眩轉也前後血謂前陰後陰出血也岐伯曰病名血枯此得之年少時有所大脫血若醉入房中氣竭肝傷故月事衰少不來也出血多者謂之脫血漏中鼻衂嘔吐出血皆同焉夫醉則血脉盛血脉盛則內熱因而入房髓液皆下故腎中氣竭也肝藏血以少大脫血故肝傷也然於丈夫則精液衰乏之若女子則月事衰少而不來帝曰治之奈何復以何術

岐伯曰以四烏鰂骨一藘茹二物并合之丸以雀卵大如小豆以五丸爲後飯飲以鮑魚汁利腸中新校正云按別本一作傷中鰂昨則反藘茹上力居反下音如字及傷肝也飯後藥先謂之後飯按古本草經云烏鰂魚骨藘茹等並不治血枯然經法用之是攻其所生所起爾夫醉勞力以入房則腎中精氣耗竭月事衰少不至則中有惡血淹留精氣耗竭則陰萎不起而無精惡血淹留則血痺著中而不散故先茲四藥用入方焉古本草經曰烏鰂魚骨味鹹冷平無毒主治女子血閉藘茹味辛寒平有小毒主散惡血雀卵味甘溫平無毒主治男子陰萎不起強之令熱多精有子鮑魚味辛臭

温平無毒主治瘀血血痺在四支不散者尋文會意方義如此而處治之也○新校正云按甲乙經及太素蘆茹作蕳茹詳王注性味乃蕳茹當改蘆作蕳又按本草烏鰂魚骨冷作微温雀卵甘作酸與王注異

帝曰病有少腹盛上下左右皆有根此爲何病可治不岐伯曰病名曰伏梁伏梁心之積也○新校正云詳此伏梁與心積之伏梁大異病有名同而實異者非一如此之類是也

帝曰伏梁何因而得之岐伯曰裹大膿血居腸胃之外不可治治之每切按之致死帝曰何以然岐伯曰此下則因陰必下

膿血上則迫胃脘生鬲俠胃脘內癰正當衝脉帶脉之部分也帶脉者起於季脅廻身一周橫絡於齊下衝脉者與足少陰之絡起於腎下出於氣街循陰股其上行者出齊下同身寸之三寸關元之分俠齊直上循腹各行會於咽喉故病當其分則少腹盛上下左右皆有根也以其上下堅盛如有潛梁故曰病名伏梁不可治也以裹大膿血居腸胃之外按之痛悶不堪故每切按之致死也以衝脉下行者絡陰上行者循腹故也上則迫近於胃脘下則因薄於陰器也若因薄於陰則便下膿血若迫近於胃則病氣上出於鬲復俠胃脘內長其癰也何以然哉以本有大膿血在腸胃之外故也生當爲出傳文誤也○新校正云按太素俠胃作使胃

此久病也

難治居齊上爲逆居齊下爲從勿動亟奪若裹大膿血居齊上則漸傷心藏故爲逆居齊下則去心稍遠猶得漸攻故爲從從順也亟數也奪去也言不可移動但數數去之則可矣論在刺法中今經亡帝曰人有身體髀股胻皆腫環齊而痛是爲何病岐伯曰病名伏梁此二十六字錯簡在奇病論中若不有此二十六字則下文無據也○新校正云詳此並無注解盡在下卷奇病論中此風根也此四字此篇本有奇病論中亦有之其氣溢於大腸而著於肓肓之原在齊下故環齊而痛也不可動之

動之爲水溺濇之病亦衝脉也齊下謂脖胦在齊下同身寸之一寸

半靈樞經曰肓之原名曰脖胦（脖）蒲没反（胦）烏朗反帝曰夫子數言熱

中消中不可服高梁芳草石藥石藥發瘨芳

草發狂多飲數溲謂之熱中多食數溲謂之消中多喜曰瘨多怒曰狂芳美味也

夫熱中消中者皆富貴人也今禁高梁是不

合其心禁芳草石藥是病不愈願聞其說熱中

消中者脾氣之上溢甘肥之所致故禁食高粱芳美之草也通評虛實論曰凡治消癉甘

肥貴人則高粱之疾也又奇病論曰夫五味入於口藏於胃脾爲之行其精氣津液在脾

故令人口甘此肥美之所發也此人必數食甘美而多肥也肥者令人內熱甘者令人中滿故其氣上溢轉爲消渴此之謂也夫富貴人者驕恣縱欲輕人而無能禁之禁之則逆其志順之則加其病帝思難詰故發問之高膏粱米也石藥英乳也芳草濃美也然此五者富貴人常服之難禁也

岐伯曰夫芳草之氣美石藥之氣悍二者其氣急疾堅勁故非緩心和人不可以服此二者

脾氣溢而生病氣美則重盛於脾消熱之氣躁疾氣悍則又滋其熱若人性和心緩氣候舒勻不與物爭釋然寬泰則神不躁迫無懼內傷故非緩心和人不可以服此二者悍利也堅定也固也勁剛也言其芳草石藥之氣堅定固久剛

烈而卒不歇滅此二者是也帝曰不可以服此二者何以
然岐伯曰夫熱氣慓悍藥氣亦然二者相遇
恐內傷脾慓疾也脾者土也而惡木服此藥者
至甲乙日更論熱氣慓盛則木氣內餘故心非和緩則躁怒數起躁怒數
起則熱氣因木以傷脾甲乙爲木故至甲乙日更論脾病之增減也帝曰善有
病膺腫新校正云按甲乙經作癰腫頸痛胷滿腹脹此爲
何病何以得之膺胷傍也頸項前也胷膺間也岐伯曰名厥
逆氣逆所生故名厥逆帝曰治之奈何岐伯曰灸之則

瘖石之則狂須其氣并乃可治也石謂以石鍼開破之帝曰何以然歧伯曰陽氣重上有餘於上灸之則陽氣入陰入則瘖石之則陽氣虛虛則狂灸之則火氣助陽陽盛故入陰石之則陽氣出陽氣出則內不足故狂須其氣并而治之可使全也并謂并合也待自并合則兩氣俱全故可治若不爾而灸石之則偏致勝負故不得全而瘖狂也帝曰善何以知懷子之且生也歧伯曰身有病而無邪脉也病謂經閉也脉法曰尺中之脉來而斷絕者經閉也月水不利若尺中脉絕者經閉也今

病經閉脉反如常者婦人姙娠之證故云身有病而無邪脉帝曰病熱而有所痛者何也岐伯曰病熱者陽脉也以三陽之動也人迎一盛少陽二盛太陽三盛陽明入陰也夫陽入於陰故病在頭與腹乃䐜脹而頭痛也帝曰善新校正云按六節藏象論曰人迎一盛病在少陽二盛病在太陽三盛病在陽明與此論同又按甲乙經三盛陽明無入陰也三字

○刺腰痛篇第四十一新校正云按全元起本在第六卷

足太陽脉令人腰痛引項脊尻背如重狀足太

陽脉別下項循肩髆內俠脊抵腰中別下貫臀故令人腰痛引項脊尻背如重狀也○新校正云按甲乙經貫臀作貫胂刺瘧注亦作貫胂三部九候注作貫臀[尻]枯熬反

刺其郄中太陽正經出血春無見血郄中委中也在膝後屈處膕中央約文中動脉足太陽脉之所入也刺可入同身寸之五分留七呼若灸者可灸三壯太陽合腎腎王於冬水衰於春故春無見血也

少陽令人腰痛如以鍼刺其皮中循循然不可以俛仰不可以顧足少陽脉遶髮際橫入髀厭中故令腰痛如以鍼刺其皮中循循然不可俛仰少陽之脉起於目銳眥上抵頭角下耳後循頸行手陽明之前至肩上交出手少陽之後

其支別者目銳眥下大迎合手少陽於頞下加頰車下頸合缺盆故不可以顧○新校正云按甲乙經行手陽明之前作行手少陽之前也刺少陽成骨之端出血成骨在膝外廉之骨獨起者夏無見血成骨謂膝外近下䯒骨上端兩起骨相並間陷容指者也䯒骨所成柱膝髀骨故謂之成骨也少陽合肝肝王於春木衰於夏故無見血也陽明令人腰痛不可以顧顧如有見者善悲足陽明脉起於鼻交頞中下循鼻外入上齒中還出俠口環脣下交承漿却循頤後下廉出大迎其支別者從大迎前下人迎循喉嚨入缺盆又其支別者起胃下口循腹裏至氣街中而合以下髀故令人腰痛不可

顧顧如有見者陽虛故悲也刺陽明於胻前三痏上下和之出血秋無見血按內經中誥流注圖經陽明脈穴俞之所主此腰痛者悉刺胻前三痏則正三里穴也三里穴在膝下同身寸之三寸胻骨外廉兩筋肉分間刺可入同身寸之一寸留七呼若灸者可灸三壯陽明合脾王長夏土衰於秋故秋無見血○新校正云按甲乙經胻作骭足少陰令人腰痛痛引脊內廉足少陰脉上股內後廉貫脊屬腎故令人腰痛痛引脊內廉也○新校正云按全元起本脊內廉作脊內痛太素亦同此前少足太陰腰痛證并刺足太陰法應古文脫簡也刺少陰於內踝上二痏春無見血出血太

多不可復也按內經中誥流注圖經少陰脉穴俞所主此腰痛者當刺內踝上則正復溜穴也復溜見內踝後上同身寸之二寸動脉陷者中刺可入同身寸之三分留三呼若灸者可灸五壯厥陰之脉令人腰痛腰中如張弓弩弦足厥陰脉自陰股環陰器抵少腹其支別者與太陰少陽結於腰髁下俠脊第三第四骨空中其穴即中髎下髎故腰痛則中如張弓弩之弦也如張弦者言強急之甚刺厥陰之脉在腨踵魚腹之外循之累累然乃刺之腨踵者言脉在腨外側下當足踝也腨形勢如臥魚之腹故曰魚腹之外也循其分肉有血絡累累然乃刺出之此正當蠡溝穴分足厥陰之絡在內踝上

寸別走少陽者刺可入同身寸之二分留三呼若灸者可灸三壯厥陰三經作居陰是傳寫草書厥字爲居也。新校正按經云厥陰之脉令人腰痛次言刺厥陰之脉注言刺厥陰之絡經注相違疑經中脉字乃絡字之誤也腨時轉反其病令人善言嘿嘿然不慧刺之三痏厥陰之脉循喉嚨之後上入頏顙絡於舌本故病則善言風盛則昏冒故不爽慧也三刺其處腰痛乃除。新校正云按經云善言嘿嘿然不慧詳善言嘿嘿二病難相兼全元起本無善字於義爲允又按甲乙經厥陰之脉不絡舌本王氏於素問之中五處引注而注厥論與刺熱及此三篇皆云絡舌本注風論注痺論二篇不言絡舌本蓋王氏亦疑而兩言之也解脉令人腰痛痛而引肩目䀮䀮然時遺溲解脉散行脉也言不合而别行也此足太陽之經起於目内眥上額交巔上循肩髆俠脊抵腰中入循膂絡腎屬膀胱下入膕中故病斯候也又其支别者從髆内别下貫胂循髀外後廉而下合於膕中二脉如繩之解股故名解脉也刺解脉在膝筋肉分間郄外廉之横脉出血血變而止膝後兩傍大筋雙上股之後兩筋之間横文之處弩肉高起則郄中之分也古中詰以膕中爲太陽之郄當取郄外廉有血絡横見迢然紫黑而盛滿者乃刺之當見黑血必候其血色變赤乃止血不變赤極而寫之必行血色變赤乃止此太陽中經之爲腰痛也解脉令人腰痛如引帶

常如折腰狀善恐足太陽之別脈自肩而別下循背脊至腰而横入髀外後廉而下合膕中故若引帶如折腰之狀○新校正云按甲乙經如引帶作如裂善恐作善怒刺解脉在郄中結絡如黍米刺之血射以黑見赤血而已郄中則委中穴足太陽合也在膝後屈處膕中央約文中動脉刺可入同身寸之五分留七呼若灸者可灸三壯此經刺法也今則取其結絡大如黍米者當黑血箭射而出見血變赤然可止也○新校正云按全元起云有兩解脉病源各異恐誤未詳同陰之脉令人腰痛痛如小錘居其中怫然腫足少陽之別絡也並少陽經上行去足外踝上同身寸之五寸

乃別走厥陰並經下絡足跗故曰同陰脈也怫怒也言腫如嗔怒也。新校正云按太素小鍾作小鍼（怫）音弗刺同陰之脈在外踝上絕骨之端為三痏絕骨之端如前同身寸之三分陽輔穴也足少陽脈所行刺可入同身寸之五分留七呼若灸者可灸三壯陽維之脈令人腰痛痛上怫然腫陽維起於陽則太陽之所生奇經八脈此其一也刺陽維之脈脈與太陽合腨下間去地一尺所太陽所主與正經並行而上至腨下復與太陽合而上也腨下去地正同身寸之一尺是則承光穴在銳腨腸下肉分間陷者中刺可入同身寸之七分若灸者可灸五壯以其取腨腸下肉分間故云合腨下間。新校正云按穴之所在乃承山穴非承光也山字誤為光衝絡之脉令人腰痛不可以俛仰仰則恐仆得之舉重傷腰衝絡絕惡血歸之衝橫也謂太陽之外絡自腰中橫入髀外後廉而下與中經合於膕中者今舉重傷腰則橫絡絕中經獨盛故腰痛不可以俛仰矣一經作行絕之脉傳寫魯魚之誤也若是行脉中誤不應取太陽脉委陽殷門之穴也刺之在郄陽筋之間上郄數寸衡居為二痏出血橫居二穴謂委陽殷門平視橫相當也郄陽謂浮郄穴上側委陽穴也筋之間謂膝後膕上兩筋之間殷門穴也二穴各去臀下橫文同身寸之六寸故曰上郄數寸也委陽刺可入同身寸之七分留五呼若灸者可灸三壯殷門刺可入同身寸之五分留七呼若灸者可灸三壯故曰衡居爲二痏○新校正云詳王氏云浮郄穴上側委陽穴也按甲乙經委陽在浮郄穴下一寸不得言上側也會陰之脉令人腰痛痛上漯漯然汗出汗乾令人欲飲飲已欲走足太陽之中經也其脉循腰下會於後陰故曰會陰之脉其經自腰下行至足今陽氣太盛故痛上漯漯然汗出汗液既出則腎燥陰虛故汗乾令人欲飲水以救腎也水入腹已腎氣復生陰氣流行太陽又盛故欲飲水已反欲走也刺直陽之脉上三痏在蹻上郄下五寸橫居視其盛者出血

直陽之脈則太陽之脈俠脊下行貫臀下至膕中下循腨過外踝之後條直而行者故曰直陽之脈也蹻謂陽蹻所生申脈穴在外踝下也郄下則膕下也言此刺處在膕下同身寸之五寸上承郄中之穴下當申脈之位是謂承筋穴即腨中央如外陷者中也太陽脈氣所發禁不可刺可灸三壯今云刺者謂刺其血絡之盛滿者也兩腨皆有太陽經氣下行當視兩腨中央有血絡盛滿者乃刺出之故曰視其盛者出血○新校正云詳上云會陰之脈令人腰痛此云刺直陽之脈者詳此直陽之脈即會陰之脈也文變而事不殊又承筋穴注云腨中央如外按甲乙經及骨空論注無如外二字

飛陽之脈令人腰痛痛上怫怫然甚則悲以恐是陰維之脈也去內

踝上同身寸之五寸腨分中並少陰經而上也少陰之脉前則陰維脉所行也足少陰之脉從腎上貫肝鬲入肺中循喉嚨俠舌本其支別者從肺出絡心注胷中故甚則悲以恐也恐者生於腎悲者生於心

刺飛陽之脉在內踝上五寸新校正云按甲乙經作二寸少陰之前與陰維之會內踝後上同身寸之五寸復溜穴少陰脉所行刺可入同身寸之三分內踝之後築賓穴陰維之郄刺可入同身寸之三分若灸者可灸五壯少陰之前陰維之會以三脉會在此穴分位也刺可入同身寸之三分若灸者可灸五壯今中誥經文正同此法○新校正云按甲乙經足太陽之絡別走少陰者名曰飛陽在外踝上七寸又云築賓陰維之郄在內踝上腨分

中復留穴在内踝上二寸今此經注都與甲乙不合者疑經注中五寸字當作二寸則素問與甲乙相應矣

昌陽之脉令人腰痛痛引膺目䀮䀮然甚則反折舌卷不能言陰蹻脉也陰蹻者足少陰之別也起於然骨之後上内踝之上直上循陰股入陰而循腹上入胷裏入缺盆上出人迎之前入頄内廉屬目内眥合於太陽陽蹻而上行故腰痛之狀如此

刺内筋爲二痏在内踝上大筋前太陰後上踝二寸所内筋謂大筋之前分肉也太陰後太陰前即陰蹻之郄交信穴也在内踝上同身寸之二寸少陰前太陰後筋骨之間陷者之中刺可入同身寸之四分留五呼若灸者可灸三壯

今中誥經文正主此散脉令人腰痛而熱熱甚生煩腰下如有橫木居其中甚則遺溲散脉足太陰之別也散行而上故以名焉其脉循股內入腹中與少陰少陽結於腰髁下骨空中故病則腰下如有橫木居其中甚乃遺溲也刺散脉在膝前骨肉分間絡外廉束脉爲三痏謂膝前內側也骨肉分謂膝內輔骨之下下廉腨肉之兩間也絡外廉則太陰之絡色青而見者也輔骨之下後有大筋擷束膝胻之骨令其連屬取此筋骨繫束之處脉以去其病是曰地機三刺而已故曰束脉爲之三痏也肉里之脉令人腰痛不可以欬欬則筋縮急肉里之脉

少陽所生則陽維之脉氣所發也里裏也刺肉里之脉爲二痏在太陽之外少陽絕骨之後分肉主之一經云少陽絕骨之前傳寫誤也絕骨之前足少陽脉所行絕骨之後陽維脉所過故指曰在太陽之外少陽絕骨之後也分肉穴在足外踝直上絕骨之端如後同身寸之二分筋肉分間陽維脉氣所發刺可入同身寸之五分留十呼若灸者可灸三壯○新校正云按分肉之穴甲乙經不見與氣穴注兩出而分寸不同氣穴注二分作三分五分作三分十呼作七呼腰痛俠脊而痛至頭几几然目䀮䀮欲僵仆刺足太陽郄中出血郄中委中○新校正云按太素作頭沉沉然腰痛

上寒刺足太陽陽明上熱刺足厥陰不可以俛仰刺足少陽中熱而喘刺足少陰刺郄中出血此法玄妙中詣不同莫可窺測當用知其應不爾皆應先去血絡乃調之也腰痛上寒不可顧刺足陽明上寒陰市主之陰市在膝上同身寸之三寸伏菟下陷者中足陽明脉氣所發刺可入同身寸之三分留七呼若灸者可灸三壯不可顧三里主之三里在膝下同身寸之三寸䯒外廉兩筋肉分間足陽明脉之所入也刺可入同身寸之三寸留七呼若灸者可灸三壯上熱刺足太陰地機主之地機在膝下同身寸之五寸足太陰之郄也刺可入同身寸之三分若灸者可

灸三壯。新校正云按甲乙經作五壯中熱而喘刺足少陰涌泉太鍾悉主之涌泉在足心陷者中屈足捲指宛宛中足少陰脉之所出刺可入同身寸之三分留三呼若灸者可灸三壯大鍾在足跟後衝中動脉足少陰之絡刺可入同身寸之二分留七呼若灸者可灸三壯。新校正云按刺瘧注大鍾在內踝後街中水穴論注在內踝後此注在跟後街中動脉三注不同甲乙經亦云在跟後衝中當從甲乙經爲正太便難刺足少陰涌泉主之少腹滿刺足厥陰大衝主之在足大指本節後內間同身寸之二寸陷者中脉動應手足厥陰脉之所注也刺可入同身寸之三分留十呼若灸者可灸三壯如折不可以俛仰不可舉刺足太陽如折束骨主之不可以俛仰京骨崑崙悉主之不可舉申脉僕參悉主之束骨在足小指外側本節後赤白肉際陷者中足太陽脉之所注也刺可入同身寸之三分留三呼若灸者可灸三壯京骨在足外側大骨下赤白肉際陷者中按而得之足太陽脉之所過也刺可入同身寸之三分留七呼若灸者可灸三壯崑崙在足外踝後跟骨上陷者中細脉動應手足太陽脉之所行也刺可入同身寸之五分留十呼若灸者可灸三壯申脉在外踝下同身寸之五分容爪甲陽蹻之所生也刺可入同身寸之六分留十呼若灸者可灸三壯僕參在跟骨下陷者中足太陽陽蹻二脉之會刺可入同身寸之三分留七呼若灸者可灸三壯。新校正云按甲乙經申脉在外踝下陷者中無五分字刺入六分作三分留七呼作留六呼氣穴注作七呼儀參留十呼甲乙經作六呼引脊內廉刺足少陰注復溜主之取用飛陽顧至此件經語除注並合朱書。新校正云按全元起本及甲乙經并太素自腰痛上寒至此並無乃王氏所添也今注云從腰痛上寒至並合朱書十九字非王氷之語蓋後人所加也腰痛引少腹控䏚不可以仰新校正云按甲乙經作不可以俛仰字䏚音杪刺腰尻交者兩髁胂上以月生死爲痏數發鍼立已此邪客於足太陰之絡也控通引也䏚謂季脇下之空軟處也腰尻交者謂髁下尻骨二傍四骨空左右八穴俗呼此骨爲八髎骨也此腰痛取腰髁下第四髎即下髎穴也足太陰厥陰少陽三脉左右交結於中故曰腰尻交者也兩髁胂謂兩髁骨下堅起肉也胂上非胂之上巔正當刺胂肉矣直刺胂肉即胂上也何者胂之上巔别有中膂肉俞白環俞雖並主腰痛考其形證經不相應矣髁骨即腰脊兩傍起骨之俠脊兩傍腰髁之下各有胂肉隴起而斜趣於髁骨之後内承其髁故曰兩髁胂也下承髁胂肉左右兩胂各有四骨空故曰上髎次髎中髎下髎上髎當髁骨下陷者中餘三髎少斜下按之陷中是也四空悉主腰痛惟下髎所主文與經同即太陰厥陰少陽所結者也刺可入同身寸之二寸留十呼若灸者可灸三壯以月生死爲痏數者月初向圓爲月生月半向空爲月死死月刺少生月刺多繆刺論曰月生一日一痏二日

二痏漸多之十五日十五痏十六日十四痏漸少之其痏數多少如此即知之釋苦尾反髎音遼左取右右取左鍼痛在左鍼取右痛在右鍼取左所以然者以其脉左右交結於尻骨之中故也○新校正云詳此腰痛引少腹一節與繆刺論重

○風論篇第四十二新校正云按全元起本在第九卷

黃帝問曰風之傷人也或爲寒熱或爲熱中或爲寒中或爲癘風或爲偏枯或爲風也其病各異其名不同或內至五藏六府不知其解願聞其說傷謂人自中之岐伯對曰風氣藏於皮

膚之間內不得通外不得泄腠理開踈則邪風入風氣入已玄府閉封故內不得通外不得泄也風者善行而數變腠理開則灑然寒閉則熱而悶灑然寒貌悶不爽貌腠理開則風飄揚故寒腠理閉則風混亂故悶其寒也則衰食飲其熱也則消肌肉故使人怢慄而不能食名曰寒熱寒風入胃故食飲衰熱氣內藏故消肌肉寒熱相合故怢慄而不能食名曰寒熱也怢慄卒振寒貌○新校正云詳怢慄全元起本作失味甲乙經作解㑊風氣與陽明入胃循脉而上至目內眥其人肥則風氣不得

外泄則爲熱中而目黄人瘦則外泄而寒則爲寒中而泣出陽明者胃脉也胃脉起於鼻交頞中下循鼻外入上齒中還出俠口環唇下交承漿却循頤後下廉循喉嚨入缺盆下鬲屬胃故與陽明入胃循脉而上至目内眥也人肥則腠理密緻故不得外泄則爲熱中而目黄人瘦則腠理開踈風得外泄則寒中而泣出也風氣與太陽俱入行諸脉俞散於分肉之間與衛氣相干其道不利故使肌肉憤䐜而有瘍衛氣有所凝而不行故其肉有不仁也肉分之間衛氣行處風與衛氣相薄俱行於肉分之間故氣道澀而

不利也氣道不利風氣内攻衛氣相持故肉憤䐜而瘡出也瘍瘡也若衛氣被風吹之不得流轉所在偏併凝而不行則肉有不仁之處也不仁謂㾺而不知寒熱痛痒癘者有榮衛熱胕其氣不清故使鼻柱壞而色敗皮膚瘍潰此則風入於經脉之中也榮行脉中故風入脉中内攻於血與榮氣合合熱而血胕壞也其氣不清言潰亂也然血脉潰亂榮復挾風陽脉盡上於頭鼻爲呼吸之所故鼻柱壞而色惡皮膚破而潰爛也脉要精微論曰脉風盛爲癘潰胡對反風寒客於脉而不去名曰癘風或名曰寒熱始爲寒熱熱成曰癘風。新校正云按別本成一作盛以春甲乙傷於風者爲肝風以夏丙丁傷於風者爲心風以季夏戊巳傷於邪者爲脾風以秋庚辛中於邪者爲肺風以冬壬癸中於邪者爲腎風春甲乙木肝主之夏丙丁火心主之季夏戊巳土脾主之秋庚辛金肺主之冬壬癸水腎主之風中五藏六府之俞亦爲藏府之風各入其門戶所中則爲偏風隨俞左右而偏中之則爲偏風風氣循風府而上則爲腦風風入係頭則爲目風眼寒風府穴名正入項髮際一寸太筋內宛宛中督脈陽維之會自風府而上則腦戶也腦戶

者督脉足太陽之會故循風府而上則爲腦風也足太陽之脉起於目内眥上額交巔上入絡腦還出故風入係頭則爲目風眼寒也飲酒中風則爲漏風熱鬱腠䟽中風汗出多如液漏故曰漏風經具名曰酒風入房汗出中風則爲内風内耗其精外開腠理因内風襲故曰内風經具名曰勞風新沐中風則爲首風沐髮中風舍於頭故曰首風久風入中則爲腸風飱泄風在腸中上熏於胃故食不化而下出焉飱泄者食不化而出也○新校正云按全元起云飱泄者水穀不分爲利外在腠理則爲泄風風居腠理則玄府開通風薄汗泄故云泄風故風者百病之長

也至其變化乃為他病也無常方然致有風氣也長先也先百病而有也。新校正云按全元起本及甲乙經致字作故帝曰五藏風之形狀不同者何願聞其診及其病能診謂可言之證能謂內作病形岐伯曰肺風之狀多汗惡風色皏然白時欬短氣晝日則差暮則甚診在眉上其色白凡內多風氣則熱有餘熱則腠理開故多汗也風薄於內故惡風焉皏謂薄白色也肺色白在變動為欬主藏氣風內迫之故色皏然白時欬短氣也晝則陽氣在表故差暮則陽氣入裏風內應之故甚也眉上謂兩眉間之上闕庭之部所以外同肺候故診在焉白肺色也心風之狀多汗惡風焦絶善怒嚇赤色病甚則言不可快診在口其色赤焦絶謂脣焦而文理斷絶也何者熱則皮剥故也風薄於心則神亂故善怒而嚇人也心脉支別者從心系上俠咽喉而主舌故病甚則言不可快也口脣色赤故診在焉赤者心色○新校正云按甲乙經無嚇字肝風之狀多汗惡風善悲色微蒼嗌乾善怒時憎女子診在目下其色青肝病則心藏無養心氣虛故善悲肝合木木色蒼故色微蒼也肝脉者循股陰入髦中環陰器抵少腹俠胃屬肝絡膽上貫鬲布脇肋循喉嚨之後入頏顙上出額

與督脈會於巔其支別者從目系下故嗌乾善怒時憎女子診在目下也青肝色也脾風之狀多汗惡風身體怠墮四支不欲動色薄微黃不嗜食診在鼻上其色黃脾脈起於足上循胻骨又上膝股內前廉入腹屬脾絡胃上鬲俠咽連舌本散舌下其支別者復從胃別上鬲注心中心脈出於手循臂故身體怠墮四支不欲動而不嗜食脾氣合土土主中央鼻於面部亦居中故診在焉黃脾色也○新校正云按王注脾風不當引心脈出於手循臂七字於義無取脾主四支脾風則四支不欲動矣腎風之狀多汗惡風面痝然浮腫脊痛不能正立其色炲隱曲不

利診在肌上其色黑痝然言腫起也炲黑色也腎者陰也目小亦陰也故腎藏受風則面痝然而浮腫腎脈者起於足下上循腨内出膕内廉上股内後廉貫脊故脊痛不能正立也隱曲者謂隱蔽委曲之處也腎藏精外應交接今藏被風薄精氣内微故隱蔽委曲之事不通利所爲也陰陽應象大論曰氣歸精精食氣今精不足則氣内歸精氣不注皮故肌皮上黑也黑腎色也

胃風之狀頸多汗惡風食飮不下鬲塞不通腹善滿失衣則䐜脹食寒則泄診形瘦而腹大胃之脉支别者從頤後下廉過人迎循喉嚨入缺盆下鬲屬胃絡脾其直行者從缺盆下乳内廉下俠齊入氣街中其支别者

起胃下口循腹裏至氣街中而合故頸多汗食飲不下鬲塞不通腹善滿也然失衣則外寒而中熱故腹䐜腹食寒則寒物薄胃而陽不內消故泄利胃合脾而主肉胃氣不足則肉不長故瘦也胃中風氣稸聚故腹大也。新校正云按孫思邈云新食竟取風爲胃風

首風之狀頭面多汗惡風當先風一日則病甚頭痛不可以出內至其風日則病少愈頭者諸陽之會風客之則皮腠踈故頭面多汗也夫人陽氣外合於風故先當風一日則病甚以先風甚故亦先衰是以至其風日則病少愈內謂室屋之內也不可以出屋室之內者以頭痛甚而不喜外風故也。新校正云按孫思邈云新沐浴竟取風爲首風

漏風

之狀或多汗常不可單衣食則汗出甚則身汗喘息惡風衣常濡口乾善渴不能勞事肺胃風熱故不可單衣腠理開疎故食則汗出甚則風薄於肺故身汗喘息惡風衣常濡口乾善渴也形勞則喘息故不能勞事。新校正云按孫思邈云因醉取風爲漏風其狀惡風多汗少氣口乾善渴近衣則身熱如火臨食則汗流如雨骨節懈墮不欲自勞泄風之狀多汗汗出泄衣上口中乾上漬其風不能勞事身體盡痛則寒上漬謂皮上濕如水漬也以多汗出故爾汗多則津液涸故口中乾形勞則汗出甚故不能勞事身體盡痛以其汗多汗多則亡陽故寒也○新校正云按孫思邈云新房室竟取風爲內風其狀惡風汗流沾衣裳疑此泄風乃內風也按本論前文先云漏風內風首風次言入中爲腸風在外爲泄風今有泄風而無內風孫思邈載內風乃此泄風之狀故知此泄字內之誤也帝曰善

○痺論篇第四十三 新校正云按全元起本在第八卷

黃帝問曰痺之安生 安猶何也言何以生 岐伯對曰風寒濕三氣雜至合而爲痺也 雖合而爲痺發起亦殊矣 其風氣勝者爲行痺寒氣勝者爲痛痺濕氣勝者爲著痺也 風則陽受之故爲痺行寒則陰受之故爲痺痛濕則皮肉筋脉

受之故爲痺著而不去也故乃痺從風寒濕之所生也帝曰其有五者何也言風寒濕氣各異則三氣生有五而何氣之勝也岐伯曰以冬遇此者爲骨痺以春遇此者爲筋痺以夏遇此者爲脉痺以至陰遇此者爲肌痺以秋遇此者爲皮痺冬主骨春主筋夏主脉秋主皮至陰主肌肉故各爲其痺也至陰謂戊已月及土寄王月也帝曰内舍五藏六府何氣使然言皮肉筋骨脉痺以五時之外遇然内居藏府何以致之岐伯曰五藏皆有合病久而不去者内舍於其合也肝合筋

（合脈脾合肉肺合皮腎合骨久病不去則入於是）故骨痺不已復感於邪內舍於腎筋痺不已復感於邪內舍於肝脈痺不已復感於邪內舍於心肌痺不已復感於邪內舍於脾皮痺不已復感於邪內舍於肺所謂痺者各以其時重感於風寒濕之氣也（時謂氣王之月也肝王春心王夏肺王秋腎王冬脾王四季之月感謂感應也）凡痺之客五藏者肺痺者煩滿喘而嘔（以肺氣應息又其脈還循胃口故使煩滿喘而嘔）心痺者脈不通煩則

心下鼓暴上氣而喘嗌乾善噫厥氣上則恐（心合脉受邪則脉不通利也邪氣內擾故煩也手心主心包之脉起於胷中出屬心包下鬲手少陰心脉起於心中出屬心系下鬲絡小腸其支別者從心系上俠咽喉其直者復從心系却上肺故煩則心下鼓滿暴上氣而喘嗌乾也心主爲噫以下鼓滿故噫之以出氣也若是逆氣上乘於心則恐畏也神懼凌弱故爾）肝痺者夜卧則驚多飲數小便上爲引如懷（肝主驚駭氣相應故中夜卧則驚也肝之脉循股陰入髦中環陰器抵少腹俠胃屬肝絡膽上貫鬲布脇肋循喉嚨之後上入頏顙故多飲水數小便上引少腹痛懷任之狀）腎痺者善脹尻以代

踵脊以代頭腎者胃之關關不利則胃氣不轉故善脹也尻以代踵謂足攣急也脊以代頭謂身踡屈也踵足跟也腎之脉起於足小指之下斜趣足心出於然骨之下循內踝之後別入跟中以上腨內出膕內廉上股內後廉貫脊屬腎絡膀胱其直行者從腎上貫肝鬲入肺中氣不足而受邪故不伸展○新校正云詳然骨一作然谷脾痺者四支解墯發欬嘔汁上爲大塞土王四季外主四支故四支解墯又以其脉起於足循腨胻上膝股也然脾脉入腹屬脾絡胃上鬲侠咽故發欬嘔汁脾氣養肺胃復連咽故上爲大塞也腸痺者數飲而出不得中氣喘爭時發飧泄大腸之脉入缺盆絡肺下鬲屬大腸

小腸之脉又入缺盆絡心循咽下鬲抵胃屬小腸今小腸有邪則脉不下鬲脉不下鬲則腸不行化而胃氣擂熱故多飲水而不得下出也腸胃中陽氣與邪氣奔喘交爭得時通利以腸氣不化故時或得通則爲飧泄

胞痺者少腹膀胱按之内痛若沃以湯濇於小便上爲清涕

膀胱爲津液之府胞内居之少腹處關元之中内藏胞器然膀胱之脉起於目内背上額交巔上入絡腦出别下項循肩髆内俠脊抵腰中入循膂絡腎屬膀胱其支别者從腰中下貫臀入膕中今胞受風寒濕氣則膀胱太陽之脉不得下流於足故少腹膀胱按之内痛若沃以湯濇於小便也小便既濇太陽之脉不得下行故上爍其腦而爲清涕出於鼻竅矣沃猶灌也

○新校正云按全元起本内痛二字作兩髀陰氣者靜則神藏躁則消亡陰謂五神藏也所以說神藏與消亡者言人安靜不涉邪氣則神氣寧以內藏人躁動觸冒邪氣則神被害而離散藏無所守故曰消亡此言五藏受邪之爲痺也飲食自倍腸胃乃傷藏以躁動致傷府以食飲見損皆謂過用越性則受其邪此言六府受邪之爲痺也淫氣喘息痺聚在肺淫氣憂思痺聚在心淫氣遺溺痺聚在腎淫氣乏竭痺聚在肝淫氣肌絶痺聚在脾淫氣謂氣之妄行者各隨藏之所主而入爲痺也○新校正云詳從上凡痺之客五藏者至此全元起本在陰

陽別論中此王氏之所移也諸痺不已亦益內也從外不去則益深至於身內其風氣勝者其人易已也帝曰痺其時有死者或疼久者或易已者其故何也歧伯曰其入藏者死其留連筋骨間者疼久其留皮膚間者易已入藏者死以神去也筋骨疼久以其定也皮膚易已以浮淺也由斯深淺故有是不同帝曰其客於六府者何也歧伯曰此亦其食飲居處爲其病本也四方雖土地溫涼高下不同物性剛柔食居不異但動過其分則六府致傷陰陽應象大論曰水穀

之寒熱感則害六府。新校正云按傷寒論曰物性剛柔飡居亦異六府亦各有俞風寒濕氣中其俞而食飲應之循俞而入各舍其府也六府俞亦謂背俞也膽俞在十椎之傍胃俞在十二椎之傍三焦俞在十三椎之傍太陽俞在十六椎之傍小腸俞在十八椎之傍膀胱俞在十九椎之傍隨形分長短而取之如是各去脊同身寸之一寸五分並足太陽脉氣之所發也。新校正云詳六府俞並在本椎下兩傍此注言在椎之傍者文略也帝曰以鍼治之奈何岐伯曰五藏有俞六府有合循脉之分各有所發各隨其過新校正云按甲乙經隨作治

則病瘳也肝之俞曰太衝心之俞曰太陵脾之俞曰太白肺之俞曰太淵腎之
俞曰太谿皆經脈之所注也太衝在足太指
間本節後二寸陷者中○新校正云按刺腰
痛注云太衝在足大指本節後內間二寸陷
者中動脈應手刺可入同身寸之三分留十
呼若灸者可灸三壯太陵在手掌後骨兩筋
間陷者中刺可入同身寸之六分留七呼若
灸者可灸三壯太白在足內側核骨下陷者
中刺可入同身寸之三分留七呼若灸者可
灸三壯太淵在手掌後陷者中刺可入同身
寸之二分留二呼若灸者可灸三壯太谿在
足內踝後跟骨上動脈陷者中刺可入同身
寸之三分留七呼若灸者可灸三壯胃合入
于三里膽合入于陽陵泉大腸合入于曲池
小腸合入于小海三焦合入于委陽膀胱合

入于委中三里在膝下三寸胻外廉兩筋間刺可入同身寸之一寸留十呼若灸者可灸三壯陽陵泉在膝下一寸胻外廉陷者中刺可入同身寸之六分留十呼若灸者可灸三壯小海在肘內大骨外去肘端五分陷者中屈肘乃得之刺可入同身寸之二分留七呼若灸者可灸五壯曲池在肘外輔屈肘曲骨之中刺可入同身寸之五分留七呼若灸者可灸三壯委陽在足膕中外廉兩筋間刺可入同身寸之七分留五呼若灸者可灸三壯屈伸而取之委中在膕中央約文中動脉刺可入同身寸之五分留七呼若灸者可灸三壯○新校正云按刺熱注委中在足膝後屈處餘並同此○故經言循脉之分各有所發各隨其過則病謬也過謂脉所經過處○新校正云詳王氏以委陽爲三焦合按甲乙經

云委陽三焦下輔俞也足太陽之別絡三焦之合自在手少陽經天井穴爲少陽肝之所入爲合詳此六府之合俱引本經所入之穴獨三焦不引本經所入之穴者王氏之誤也王氏但見甲乙經云三焦合于委陽彼說自異彼又以太陽合于巨虛上廉小腸合于下廉此以曲池小海易之故知當以天井穴爲合也

帝曰榮衛之氣亦令人痺乎岐伯曰榮者水穀之精氣也和調於五藏灑陳於六府乃能入於脉也正理論曰穀入於胃脉道乃行水入於經其血乃成又靈樞經曰榮氣之道內穀爲實○新校正云按別本實作寶穀入於胃氣傳與肺精專者上行經隧由此故水穀精氣合榮氣運行而入於

脉也故循脉上下貫五藏絡六府也榮行脉内故無所不至衛者水穀之悍氣也其氣慓疾滑利不能入於脉也悍氣謂浮盛之氣也以其浮盛之氣故慓疾滑利不能入於脉中也故循皮膚之中分肉之間熏於肓膜散於胷腹皮膚之中分肉之間謂脉外也肓膜謂五藏之間鬲中膜也以其浮盛故能布散於胷腹之中空虚之處熏其肓膜令氣宣通也肓音荒逆其氣則病從其氣則愈不與風寒濕氣合故不爲痺帝曰善痺或痛或不痛或不仁或寒或熱或燥或濕

其故何也岐伯曰痛者寒氣多也有寒故痛也風寒濕氣客於肉分之間迫切而為沫得寒則聚聚則排分肉肉裂則痛故有寒則痛也其不痛不仁者病久入深榮衛之行濇經絡時疎故不通新校正云按甲乙經不通作不痛詳甲乙經此條論不痛與不仁兩事後言不痛是載明不痛之為重也皮膚不營故為不仁不仁者皮頑不知有無也其寒者陽氣少陰氣多與病相益故寒也病本生於風寒濕氣故陰氣益之也其熱者陽氣多陰氣少病氣勝陽遭陰故為痺熱遭遇也言熱遇於陰氣

陰氣不勝故爲熱○新校正云按甲乙經遭作乘其多汗而濡者此其逢濕甚也陽氣少陰氣盛兩氣相感故汗出而濡也中表相應則相感也帝曰夫痺之爲病不痛何也岐伯曰痺在於骨則重在於脉則血凝而不流在於筋則屈不伸在於肉則不仁在皮則寒故具此五者則不痛也凡痺之類逢寒則蟲逢熱則縱帝曰善蟲謂皮中如蟲行縱謂縱緩不相就○新校正云按甲乙經蟲作急

○痿論篇第四十四新校正云按全元起本在第四卷

黃帝問曰五藏使人痿何也痿謂痿弱無力以運動岐伯對曰肺主身之皮毛心主身之血脉肝主身之筋膜新校正云按全元起本云膜者人皮下肉上筋膜也脾主身之肌肉腎主身之骨髓所主不同痿生亦各歸其所主故肺熱葉焦則皮毛虛弱急薄著則生痿躄也躄謂攣躄足不得伸以行也肺熱則腎受熱氣故爾躄必亦反心氣熱則下脉厥而上上則下脉虛虛則生脉痿樞折挈脛

縱而不任地也心熱盛則火獨光火獨光則火炎上腎之脉常下行令火盛而上炎用事故腎脉亦隨火炎爍而逆上行也陰氣厥逆火復內燔陰上隔陽下不守位心氣通脉故生脉痿腎氣主足故膝腕樞紐如折去而不相提挈脛筋縱緩而不能任用於地也肝氣熱則膽泄口苦筋膜乾筋膜乾則筋急而攣發爲筋痿膽約肝葉而汁味至苦故肝熱則膽液滲泄膽病則口苦今膽液滲泄故口苦也肝主筋膜故熱則筋膜乾而攣急發爲筋痿也八十一難經曰膽在肝短葉間下脾氣熱則胃乾而渴肌肉不仁發爲肉痿脾與胃以膜相連脾氣熱則胃液滲泄故乾而渴也脾主肌肉今熱

薄於内故肌肉不仁而發爲肉痿腎氣熱則腰脊不舉骨枯而髓減發爲骨痿腰爲腎府又腎脉上股内貫脊屬腎故腎氣熱則腰脊不舉也腎主骨髓故熱則骨枯而髓減發則爲骨痿也帝曰何以得之歧伯曰肺者藏之長也爲心之蓋也位高而布葉於胷中是故爲藏之長心之蓋有所失亡所求不得則發肺鳴鳴則肺熱葉焦志若不揚氣鬱故也肺藏氣氣鬱不利故喘息有聲而肺熱葉焦也故曰五藏因肺熱葉焦發爲痿躄此之謂也肺者所以行榮衛治陰陽故引曰五藏因肺熱而發爲痿躄也悲

哀大甚則胞絡絶胞絡絶則陽氣內動發則心下崩數溲血也悲則心系急肺布葉舉而上焦不通榮衛不散熱氣在中故胞絡絶而陽氣內鼓動發則心下崩數溲血也心下崩謂心包內崩而下血也溲謂溺也○新校正云按楊上善云胞絡者心上胞絡之脉也詳經注中胞字俱當作包全本胞又作肌也故本病曰大經空虛發爲肌痺傳爲脉痿本病古經論篇名也大經謂大經脉也以心崩溲血故大經空虛脉空則熱內薄衛氣盛榮氣微故發爲肌痺也先見肌痺後漸脉痿故曰傳爲脉痿也思想無窮所願不得意淫於外入房大甚宗筋弛縱

發爲筋痿及爲白淫思想所願爲所欲也施寫勞損故爲崩痿及白淫也白淫謂白物淫衍如精之狀男子溺溲而下女子陰器中綿綿而下也故下經曰筋痿者生於肝使内也下經上古之經名也使内謂勞役陰力費竭精氣也有漸於濕以水爲事若有所留居處相濕肌肉濡漬痺而不仁發爲肉痿業惟近濕居處澤下皆水爲事也平者久而猶殆感之者尤甚矣肉屬於脾脾氣惡濕濕著於肉則衛氣不禁故爲肉痿也故下經曰肉痿者得之濕地也陰陽應象大論曰地之濕氣感則害皮肉筋脉此之謂害肉也有所遠行勞

倦逢大熱而渴，渴則陽氣内伐，内伐則熱舍於腎。腎者水藏也，今水不勝火，則骨枯而髓虚，故足不任身，發爲骨痿。陽氣内伐，謂伐腹中之陰氣也。水不勝火，以熱舍於腎中也。故下經曰：骨痿者，生於大熱也。腎性惡燥，熱反居中，熱薄骨乾，故骨痿無力也。帝曰：何以别之？岐伯曰：肺熱者色白而毛敗，心熱者色赤而絡脉溢，肝熱者色蒼而爪枯，脾熱者色黄而肉蠕動，腎熱者色黑而齒槁。各求藏色及所主養而命之，則其應也。

帝曰如夫子言可矣論言治痿者獨取陽明何也岐伯曰陽明者五藏六府之海陽明胃脉也胃爲水穀之海主閏宗筋宗筋主束骨而利機關也宗筋謂陰髦中横骨上下之竪筋也上絡胷腹下貫髖尻又經於背腹上頭項故云宗筋主束骨而利機關也然腰者身之大關節所以同屈伸故曰機關髖音寬尻枯敖反衝脉者經脉之海也靈樞經曰衝脉者十二經之海主滲灌谿谷與陽明合於宗筋尋此則横骨上下齊兩傍竪筋正宗筋也衝脉循腹俠齊傍各同身寸之五分而上陽明脉亦俠齊傍各同身寸之一寸五分而上宗筋

脉於中故曰與陽明合於宗筋也以爲十二經海故主滲灌谿谷也肉之大會爲谷小會爲谿○新校正云詳宗筋脉於中一作宗筋縱於中陰陽總宗筋之會會於氣街而陽明爲之長皆屬於帶脉而絡於督脉宗筋聚會會於横骨之中從上而下故云陰陽總宗筋之會也宗筋俠齊下合於横骨陽明輔其外衝脉居其中故云會於氣街而陽明爲之長也氣街則陰髦兩傍脉動處也帶脉者起於季脇回身一周而絡於督脉也督脉者起於關元上下循腹故云皆屬於帶脉而絡於督脉也督脉任脉衝脉三脉者同起而異行故經文或參差而引之故陽明虚則宗筋縱帶脉不引故足痿不

用也陽明之脉從缺盆下乳內廉下俠齊至氣街中其支別者起胃下口循腹裏下至氣街中而合以下髀抵伏菟下入膝髕中下循胻外廉下足跗入中指內間其支別者下膝三寸而別以下入中指外間故陽明虛則宗筋縱緩帶脉不引而足痿弱不可用也引謂牽引〔髕〕音牝帝曰治之奈何岐伯曰各補其榮而通其俞調其虛實和其逆順筋脉骨肉各以其時受月則病已矣帝曰善時受月謂受氣時月也如肝王甲乙心王丙丁脾王戊己肺王庚辛腎王壬癸皆王氣法也時受月則正謂五常受氣月也

○厥論篇第四十五 新校正云按全元起本在第五卷

黃帝問曰厥之寒熱者何也 厥謂氣逆上也世謬傳爲脚氣廣飾方論焉 岐伯對曰陽氣衰於下則爲寒厥陰氣衰於下則爲熱厥 陽謂足之三陽脉陰謂足之三陰脉下謂足也 帝曰熱厥之爲熱也必起於足下者何也 陽主外而厥在內故問之 岐伯曰陽氣起於足五指之表陰脉者集於足下而聚於足心故陽氣勝則足下熱也 大約而言之足太陽脉出於足小指之端外側足少陽脉出於足小指次

指之端足陽明脉出於足中指及大指之端並循足陽而上肝脾腎脉集於足下聚於足心陰弱故足下熱也○新校正云按甲乙經陽氣起於足作走於足起當作走帝曰寒厥之爲寒也必從五指而上於膝者何也陰主內而厥在外故問之岐伯曰陰氣起於五指之裏集於膝下而聚於膝上故陰氣勝則從五指至膝上寒其寒也不從外皆從內也亦大約而言之也足太陰脉起於足大指之端內側足厥陰脉起於足大指之端三毛中足少陰脉起於足小指之下斜趣足心並循足陰而上循股陰入腹故云集於膝下而聚於膝之上也帝

曰：寒厥何失而然也？岐伯曰：前陰者，宗筋之所聚，太陰陽明之所合也。宗筋俠齊下合於陰器，故云前陰者宗筋之所聚也。太陰者，脾脈；陽明者，胃脈。脾胃之脉皆輔近宗筋，故云太陰陽明之所合。○新校正云：按《甲乙經》"前陰者宗筋之所聚"作"厥陰者衆筋之所聚"。全元起云："前陰者，厥陰也。"與王注義異，亦自一說。春夏則陽氣多而陰氣少，秋冬則陰氣盛而陽氣衰。此乃天之常道。此人者質壯，以秋冬奪於所用，下氣上爭，不能復，精氣溢下，邪氣因從之而上也。質，謂形質也。奪於所用，謂多欲而奪其精氣也氣因於中新校正云按甲乙經氣因於中作所中陽氣衰不能滲營其經絡陽氣日損陰氣獨在故手足爲之寒也帝曰熱厥何如而然也源其所由也歧伯曰酒入於胃則絡脉滿而經脉虛脾主爲胃行其津液者也陰氣虛則陽氣入陽氣入則胃不和胃不和則精氣竭精氣竭則不營其四支也前陰爲太陰陽明之所合故胃不和則精氣竭也內精不足故四支無氣以營之此人必數醉若飽以入房氣聚於脾

中不得散酒氣與穀氣相薄熱盛於中故熱遍於身内熱而溺赤也夫酒氣盛而慓悍腎氣日衰陽氣獨勝故手足爲之熱也醉飽入房内亡精氣中虛熱入由是腎衰陽盛陰虛故熱生於手足也帝曰厥或令人腹滿或令人暴不知人或至半日遠至一日乃知人者何也暴猶卒也言卒然冒悶不醒覺也不知人謂悶甚不知識人也或謂乃厥岐伯曰陰氣盛於上則下虛下虛則腹脹滿陽氣盛於上則下氣重上而邪氣逆

逆則陽氣亂陽氣亂則不知人也陰謂足太陰氣○新校正云按甲乙經陽氣盛於上五字作腹滿二字當從甲乙經之説何以言之别按甲乙經云陽脉下墜陰脉上爭發尸厥焉有陰氣盛於上而又言陽氣盛於上又按張仲景云少陰脉不至腎氣微少精血奔氣促迫上入胃鬲宗氣反聚血結心下陽氣退下熱歸陰股與陰相動令身不仁此爲尸厥仲景言陽氣退下則是陽氣不得盛於上故知當從甲乙經也又王注陰謂足太陰亦爲未盡按謬刺論云邪客於手足少陰太陰足陽明之絡此五絡皆會於耳中上絡左角五絡俱竭令人身脉皆動而形無知其狀若尸或曰尸厥焉得專解陰爲太陰也帝曰善願聞六經脉之厥狀病

能也爲前問解故請備聞諸經厥也岐伯曰巨陽之厥則腫首頭重足不能行發爲眴仆巨陽太陽也足太陽脉起於目內眥上額交巔上其支別者從巔至耳上角其直行者從巔入絡腦還出別下項循肩髆內俠脊抵腰中入循膂絡腎屬膀胱其支別者從腰中下貫臀入膕中其支別者從髆內左右別下貫胛過髀樞循髀外後廉下合膕中以下貫踹內出外踝之後循京骨至小指之端外側由是厥逆外形斯證也腫或作踵非陽明之厥則癲疾欲走呼腹滿不得臥面赤而熱妄見而妄言足陽明脉起於鼻交頞中下循鼻外入上齒中還出俠口環脣下交承漿却循頤後下廉出大

迎循頰車上耳前過客主人循髮際至額顱其支別者從大迎前下人迎循喉嚨入缺盆下鬲屬胃絡脾其直行從缺盆下乳内廉下俠齊入氣街中其支別者起胃下口循腹裏下至氣街中而合以下髀抵伏菟下入膝臏中下循胻外廉下足跗入中指内間其支別者下膝三寸而別以下入中指外間其支別者跗上入大指間出其端故厥如是也癲一焉巔非

少陽之厥則暴聾頰腫而熱脇痛胻不可以運足少陽脉起於目銳眥上抵頭角下耳後循頸行手少陽之前至肩上交出手少陽之後入缺盆其支別者從耳後入耳中出走耳前至目銳眥後其支別者目銳眥下大迎合手少陽於頸下加頰車下頸合缺盆以下胷中貫鬲絡肝屬膽循脇裏出氣

街逶髦際橫入髀厭中其直行者從缺盆下掖循胷過季脇下合髀厭中以下循髀陽出膝外廉下入外輔骨之前直下抵絕骨之端下出外踝之前循足跗出小指次指之端故厥如是

太陰之厥則腹滿䐜脹後不利不欲食食則嘔不得臥足太陰脉起於大指之端上膝股內前廉入腹屬脾絡胃上鬲俠咽連舌本散舌下其支別者復從胃別上鬲注心中故厥如是

少陰之厥則口乾溺赤腹滿心痛足少陰脉上股內後廉貫脊屬腎絡膀胱其直行者從腎上貫肝鬲入肺中循喉嚨俠舌本其支別者從肺出絡心注胷中故厥如是

厥陰之厥則少腹腫痛腹脹涇溲不利

好臥屈膝陰縮腫胻內熱足厥陰脉去內踝一寸上踝八寸交出太陰之後上膕內廉循股陰入髦中環陰器抵少腹俠胃屬肝絡膽上貫鬲故病如是矣胻內熱一本云胻外熱傳寫行書內外誤也盛則寫之虛則補之不盛不虛以經取之不盛不虛謂邪氣未盛真氣未虛如是則以穴俞經法留呼多少而取之太陰厥逆胻急攣心痛引腹治主病者足太陰脉起於大指之端循指內側上內踝前廉上踹內循骭骨後上膝股內前廉入腹其支別者復從胃別上鬲注心中故胻急攣心痛引腹也太陰之脉行有左右候其有過者當發取之故言治主病者○新校正云詳從太陰厥逆至篇末全

元起本在第九卷王氏移於此少陰厥逆虛滿嘔變下泄清治主病者以其脉從腎上貫肝鬲入肺中循喉嚨故如是厥陰厥逆攣腰痛虛滿前閉譫言新校正云按全元起云譫言者氣虛獨言也譫音儼治主病者以其脉循股陰入髦中環陰器復上循喉嚨之後絡舌本故如是。新校正云按甲乙經厥陰之經不絡舌本王氏注刺熱篇刺腰痛篇并此三注俱云絡舌本又注風論痺論各不云絡舌本王注自有異同當以甲乙經爲正三陰俱逆不得前後使人手足寒三日死三陰絕故三日死太陽厥逆僵仆嘔血善衄治主病者以其脉起目内眥又循脊絡腦故如是僵居良反仆音付少陽厥逆機關不利機關不利者腰不可以行項不可以顧以其脉循頸下繞髺際橫入髀厭中故如是發陽癰不可治驚者死足少陽脉貫鬲絡肝屬膽循脇裏出氣街發陽癰則經氣絕故不可治驚者死也陽明厥逆喘欬身熱善驚衄嘔血以其脉循喉嚨入缺盆下鬲屬胃絡脾故如是手太陰厥逆虛滿而欬善嘔沫治主病者手太陰脉起於中焦下絡大腸還循胃口上鬲屬肺故如是手心主少陰厥逆心痛引喉身熱死不可治手心主脉起於

胷中出屬心包手少陰脉其支別者從心系上俠咽喉故如是手太陽厥逆耳聾泣出項不可以顧腰不可以俛仰治主病者手太陽脉支別者從缺盆循頸上頰至目銳眥却入耳中其支別者從頰上䪼抵鼻至目内眥故耳聾泣出項不可以顧也腰不可以俛仰脉不相應恐古錯簡文手陽明少陽厥逆發喉痺嗌腫痓治主病者手陽明脉支別者從缺盆上頸手少陽脉支別者從膻中上出缺盆上項故如是○新校正云按全元起本痓作痙

補註釋文黄帝内經素問卷之六

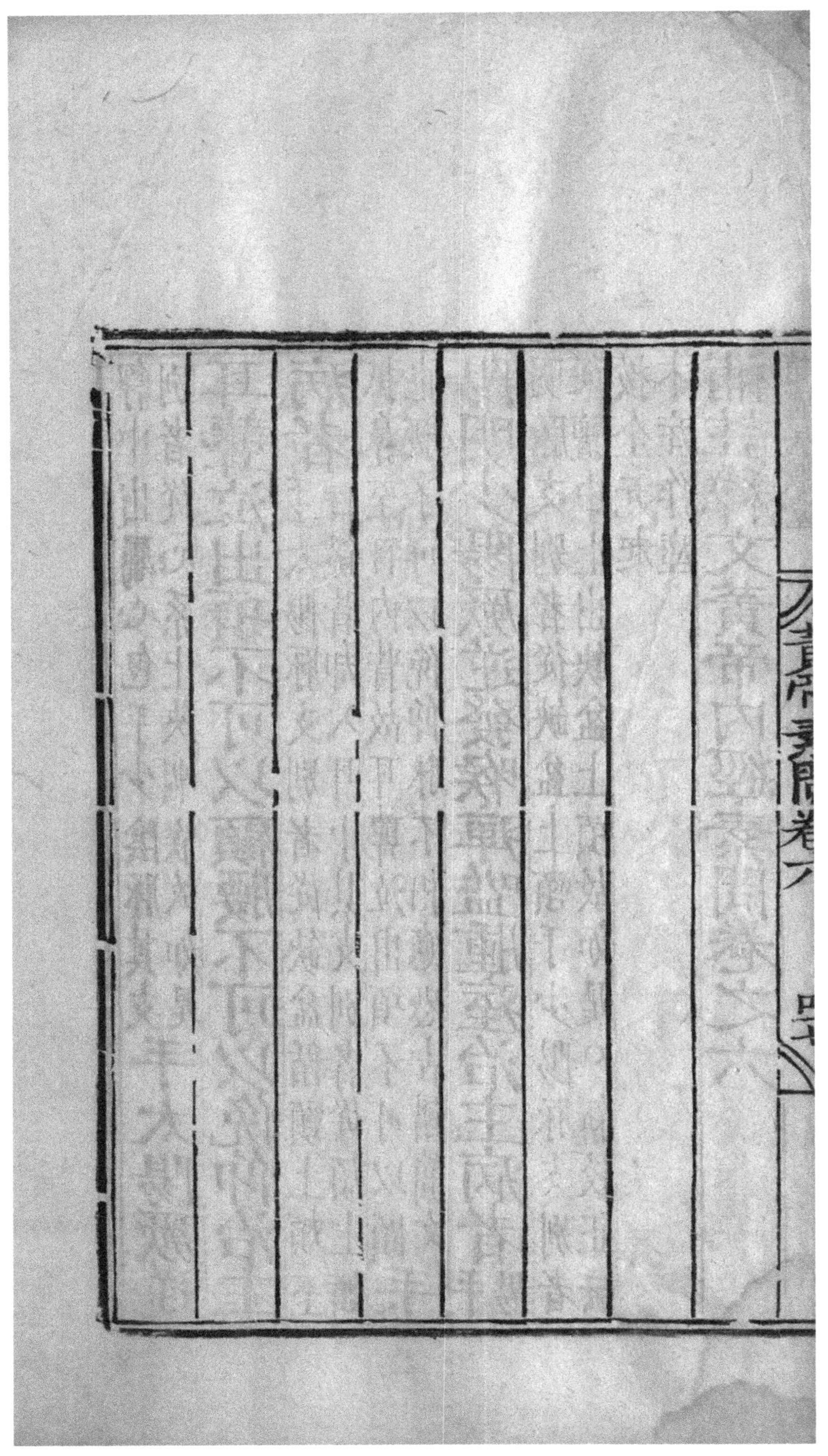

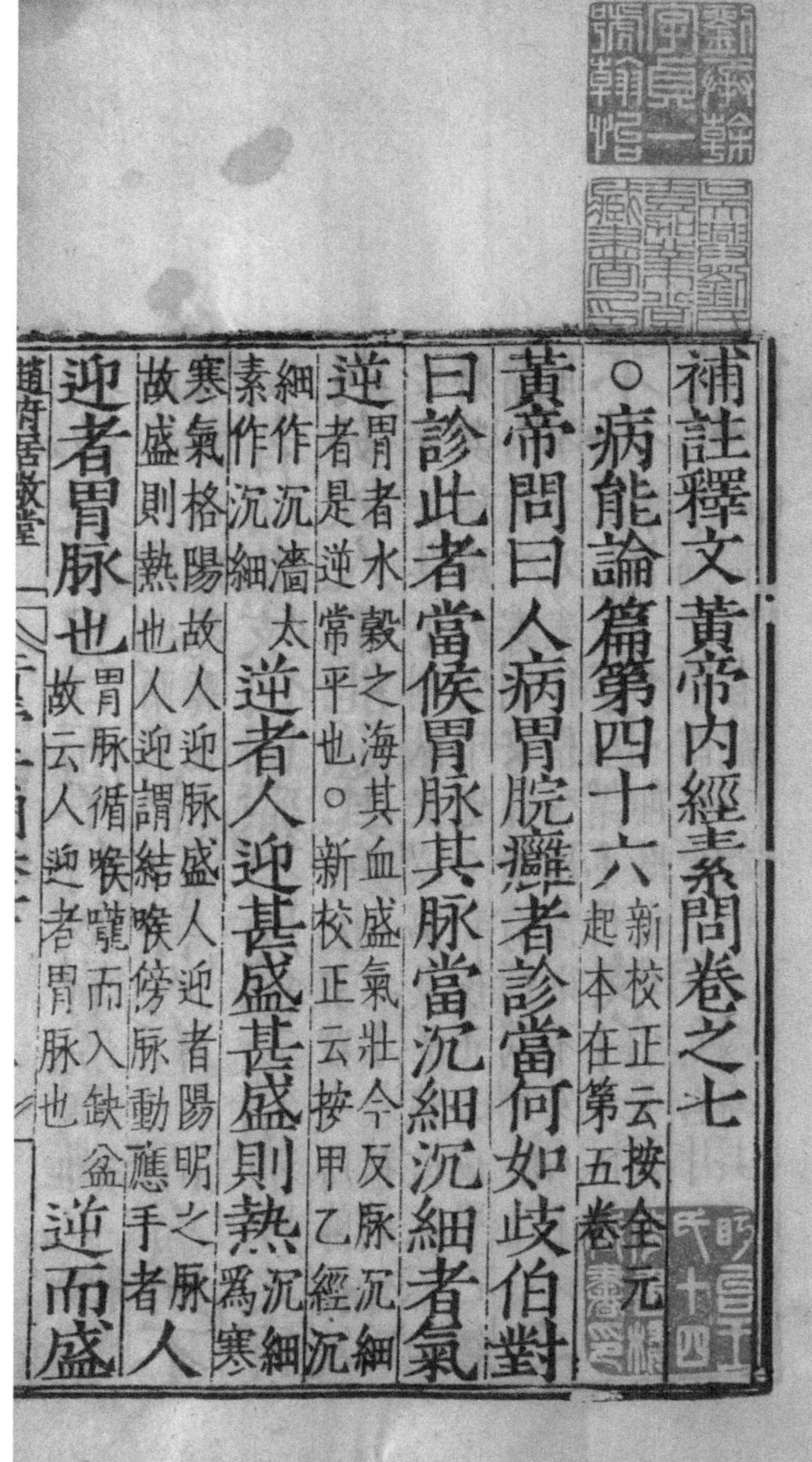

補註釋文黃帝内經素問卷之七

○病能論篇第四十六 新校正云按全元起本在第五卷

黃帝問曰人病胃脘癰者診當何如岐伯對曰診此者當候胃脉其脉當沉細沉細者氣逆 胃者水穀之海其血盛氣壯今反脉沉細者是逆常平也○新校正云按甲乙經沉細作沉濇太素作沉細 逆者人迎甚盛甚盛則熱 沉細爲寒寒氣格陽故人迎脉盛人迎者陽明之脉故盛則熱也人迎謂結喉傍脉動應手者 人迎者胃脉也 胃脉循喉嚨而入缺盆故云人迎者胃脉也 逆而盛

則熱聚於胃口而不行故胃脘爲癰也血氣壯盛而熱內薄之兩氣合熱故結爲癰也帝曰善人有臥而有所不安者何也岐伯曰藏有所傷及精有所之寄則安故人不能懸其病也五藏有所傷損及之水穀精氣有所之寄扶其下則臥安以傷及於藏故人不能懸其病處於空中也○新校正云按甲乙經精有所之寄則安作情有所倚則臥不安太素作精有所倚則不安帝曰人之不得偃臥者何也謂不得仰臥也岐伯曰肺者藏之蓋也居高布葉四藏下之故言肺者藏之蓋也肺氣盛則脉大脉

大則不得偃臥（肺氣盛滿偃臥則氣促喘奔故不得偃臥也）論在奇恒陰陽中（奇恒陰陽上古經篇名世本闕）帝曰有病厥者診右脉沉而緊左脉浮而遲不然病主安在（不然言不沉也。新校正云按甲乙經不然作不知）岐伯曰冬診之右脉固當沉緊此應四時左脉浮而遲此逆四時在左當主病在腎頗關在肺當腰痛也（以冬左脉浮而遲浮爲肺脉故言頗關在肺也腰者腎之府故腎受病則腰中痛也）帝曰何以言之岐伯曰少陰脉貫腎絡肺今得肺脉腎爲之病故腎爲腰痛之病也左脉浮遲非肺來見以左腎不足而脉不能沉故得肺脉腎爲病也帝曰善有病頸癰者或石治之或鍼灸治之而皆已其眞安在言所攻則異所愈則同故問眞法何所在也岐伯曰此同名異等者也言雖同曰頸癰然其皮中別異不一等也故下云夫癰氣之息者宜以鍼開除去之夫氣盛血聚者宜石而寫之此所謂同病異治也息瘜也死肉也石砭石也可以破大癰出膿今以鈹針代之帝曰有病怒狂者新校正云按太素怒狂作善怒

此病安生岐伯曰生於陽也帝曰陽何以使人狂怒不慮禍故謂之狂岐伯曰陽氣者因暴折而難決故善怒也病名曰陽厥言陽氣被折鬱不散也此人多怒亦曾因暴折而心不疏暢故爾如是者皆陽逆躁極所生故病名陽厥帝曰何以知之岐伯曰陽明者常動巨陽少陽不動不動而動大疾此其候也言頸項之脈皆動不止也陽明常動者動於結喉傍是謂人迎氣舍之分位也若以少陽之動動於曲頰下是謂天窗天牖之分位也若巨陽之動動於項兩傍大筋前陷者中是謂天柱天容之分位也不應常動而反動

甚動當病也。新校正云詳王注以天窻爲少陽之分位天容爲太陽之分位按甲乙經天窻乃太陽脉氣所發天容乃少陽脉氣所發一位交互當以甲乙經爲正也帝曰治之奈何岐伯曰奪其食即巳夫食入於陰長氣於陽故奪其食即巳食少則氣衰故節去其食即病自止。新校正云按甲乙經奪作衰太素同也使之服以生鐵洛爲飲新校正云按甲乙經鐵洛作鐵落爲飲作爲後飯夫生鐵洛者下氣疾也之或爲人傳文誤也鐵洛味辛微溫平主治下氣方俗或呼爲鐵漿非是生鐵液也帝曰善有病身熱解墯汗出如浴惡風少氣此爲何病岐伯曰病名曰酒風飲酒中風者也風論曰飲酒中風則爲漏風是亦名漏風也夫極飲者陽氣盛而腠理踈玄府開發陽盛則筋痿弱故身體解㑊也腠理踈則風内攻玄府發則氣外泄故汗出如浴也風氣外薄膚腠理開汗多内虛癉熱薫肺故惡風少氣也因酒而病故曰酒風解音介㑊徒臥反帝曰治之奈何岐伯曰以澤瀉朮各十分麋銜五分合以三指撮爲後飯朮味苦溫平主治大風止汗麋銜味苦寒平主治風濕筋痿澤瀉味甘寒平主治風濕益氣由此功用方故先之飯後藥先謂之後飯所謂深之細者其中手如鍼也摩之切

之聚者堅也博者大也上經者言氣之通天也下經者言病之變化也金匱者決死生也揆度者切度之也奇恒者言奇病也所謂奇者使奇病不得以四時死也恒者得以四時死也新校正云按楊上善云得病傳之至於勝時而死此爲恒中生喜怒令病次傳者此爲奇所謂揆者方切求之也言切求其脉理也度者得其病處以四時度之也凡言所謂者皆釋未了義今此所謂尋前後經文悉不與此篇義相接似今數句少成文義者終是别釋經文

世本既闕第七二篇應彼闕經錯簡文也古文斷裂繆續於此

○奇病論篇第四十七 新校正云按全元起本在第五卷

黃帝問曰人有重身九月而瘖此爲何也 重身謂身中有身則懷任者也瘖謂不得言語也任娠九月足少陰脉養胎約氣斷則瘖不能言也 岐伯對曰胞之絡脉絕也 絕謂脉斷絕而不通流而不能言非天眞之氣斷絕也 帝曰何以言之岐伯曰胞絡者繫於腎少陰之脉貫腎繫舌本故不能言 少陰腎脉也氣不營養故舌不能言 帝曰治之奈何岐伯曰無治

也當十月復十月胎去胞絡復通腎脈上營故復舊而言也刺法曰無損不足益有餘以成其疹疹謂久病反法而治則胎死不去遂成久固之疹病然後調之新校正云按甲乙經及太素無此四字按全元起注云所謂不治者其身九月而瘖身重不得爲治須十月滿生後復如常也然後調之則此四字本全元起注文誤書於此當删去之所謂無損不足者身羸瘦無用鑱石也任娠九月筋骨瘦勞力少身重又拒於穀故身形羸瘦不可以鑱石傷也鑱鋤銜反無益其有餘者腹中有形而泄之泄之則精出而病獨擅中故曰疹成也

胎約胞絡腎氣不通因而泄之腎精髓出精液内竭胎則不全胎死腹中著而不去由此獨擅故疹成焉帝曰病脇下滿氣逆二三歲不已是爲何病岐伯曰病名曰息積此不妨於食不可灸刺積爲導引服藥藥不能獨治也腹中無形脇下逆滿頻歲不愈息且形之氣逆息難故名息積也氣不在胃故不妨於食也灸之則火熱内爍氣化爲風刺之則必寫其經轉成虚敗故不可灸刺是可積爲導引使氣流行又以藥攻内消瘀稸則可矣若獨憑其藥而不積爲導引則藥亦不能獨治之也帝曰人有身體髀股䯒皆腫環齊而痛是爲何

病岐伯曰病名曰伏梁以衝脉病故名曰伏梁然衝脉者與足少陰之絡起於腎下出於氣街循陰股内廉斜入膕中循脛骨内廉並足少陰經下入内踝之後入足下其上行者出齊下同身寸之三寸關元之分俠齊直上循腹各行會於咽喉故身體髀皆腫繞齊而痛名曰伏梁環謂圓繞如環也此風根也其氣溢於大腸而著於肓肓之原在齊下故環齊而痛也大腸廣腸也經説大腸當言迴腸也何者靈樞經曰迴腸當齊右環回周葉積而下廣腸附脊以受迴腸左環葉積上下辟大尋此則是迴腸非應言大腸也然大腸迴腸俱與肺合從合而命故通曰大腸也不可動之動之爲水

溺濇之病也
以衝脉起於腎下出於氣街其
上行者起於胞中上出齊下關
元之分故動之則爲水而溺濇也動謂齊其
毒藥而擊動之使其大下也此一問荅之義
與腹中論同以爲
奇病故重出於此
帝曰人有尺脉數甚筋急而見此爲何病
筋急謂掌後尺中兩筋急也
脉要精微論曰尺外以候腎
尺裏以候腹中今尺脉數急脉數爲熱熱當
筋緩反尺中筋急而見腹中筋當急故問爲
病乎靈樞經曰熱
即筋緩寒即筋急
岐伯曰此所謂疹筋是人腹必急白色黑色見則病甚
腹急謂俠齊腎
筋俱急以尺裏
候腹中故見尺中筋急則必腹中拘急矣色
見謂見於面部也夫相五色者白爲寒黑爲

寒故二色見病彌甚也帝曰人有病頭痛以數歲不已
此安得之名爲何病頭痛之疾不當踰月數年不愈故怪而問之
岐伯曰當有所犯大寒内至骨髓髓者以腦
爲主腦逆故令頭痛齒亦痛夫腦爲髓主齒是骨餘腦逆反
寒骨亦寒人故令頭痛齒亦痛病名曰厥逆帝曰善全注人先生於
腦緣有腦則有骨髓齒者骨之本也帝曰有病口甘者病名爲
何何以得之岐伯曰此五氣之溢也名曰脾
癉癉謂熱也脾熱則四藏同禀故五氣上溢也生因脾熱故曰脾癉夫五味

入口藏於胃脾爲之行其精氣津液在脾故令人口甘也脾熱內滲津液在脾胃穀化餘精氣隨溢口通脾氣故口甘津液在脾是脾之癉此肥美之所發也新校正云按太素發作致此人必數食甘美而多肥也肥者令人內熱甘者令人中滿故其氣上溢轉爲消渴食肥則腠理密陽氣不得外泄故肥令人內熱甘者性氣和緩而發散逆故甘令人中滿然內熱則陽氣炎上炎上則欲飲而嗌乾中滿則陳氣有餘有餘則脾氣上溢故曰其氣上溢轉爲消渴也陰陽應象大論曰辛甘發散爲陽靈樞經曰甘多食之令人悶然從中滿以生之○新

校正云按甲乙經消渴作消癉治之以蘭除陳氣也蘭謂蘭草也神農曰蘭草味辛熱平利水道辟不祥胷中痰澼也除謂去也陳謂久也言蘭除陳久甘肥不化之氣者以辛能發散故也藏氣法時論曰辛者散也○新校正云按本草蘭性平不言熱帝曰有病口苦取陽陵泉口苦者病名為何何以得之岐伯曰病名曰膽癉亦謂熱也膽汁味苦故口苦○新校正云按全元起本及太素無口苦取陽陵泉六字詳前後文勢疑此為誤夫肝者中之將也取決於膽咽為之使靈蘭秘典論曰肝者將軍之官謀慮出焉膽者中正之官決斷出焉肝與膽合氣性相通故諸謀慮

取決於膽咽膽相應故咽爲使焉。新校正云按甲乙經曰膽者中精之府五藏取決於膽咽爲之使疑此文誤此人者數謀慮不決故膽虛氣上溢而口爲之苦治之以膽募俞胷腹曰募背脊曰俞膽募在乳下二筋外期門下同身寸之五分俞在脊第十椎下兩傍相去各同身寸之一寸半治在陰陽十二官相使中言治法具於彼篇今經已亡

帝曰有癃者一日數十溲此不足也身熱如炭頸膺如格人迎躁盛喘息氣逆此有餘也是陽氣太盛於外陰氣不足故有餘也。新校正云詳此十五字舊作文寫按甲乙經太

素並無此文再詳乃是全元起注後人誤書於此今作注書太陰脉細微如髮者此不足也其病安在名爲何病癃小便不得也溲小便也頸膺如格言頸與胷膺如相格拒不順應也人迎躁盛謂結喉兩傍脉動盛滿急數非常躁速也胃脉也太陰脉細縷如髮者謂手大指後同身寸之一寸骨高脉動處脉則肺脉也此正手太陰脉氣之所流可以候五藏也岐伯曰病在太陰其盛在胃頗在肺病名曰厥死不治病癃數溲身熱如炭頸膺如格息氣逆者皆手太陰脉當洪大而數今太陰脉反微細如髮者是病與脉相反也何以致之肺氣逆陵於胃而爲是上使人迎躁盛也故曰病在太陰其

盛在胃也以喘息氣逆故云頗亦在肺也病因氣逆證一不相應故病名曰厥死不治也

此所謂得五有餘二不足也帝曰何謂五有餘二不足岐伯曰所謂五有餘者五病之氣有餘也二不足者亦病氣之不足也今外得五有餘內得二不足此其身不表不裏亦正死明矣外五有餘者一身熱如炭二頸膺如格三人迎躁盛四喘息五氣逆也內二不足者一病癃一日數十溲二太陰脉微細如髮夫如是者謂其病在表則內有二不足謂其病在裏則外得五有餘表裏既不可憑補寫固難爲法故曰此其身不表不裏亦

正死明矣帝曰人生而有病巔疾者病名曰何安所得之夫百病者皆生於風雨寒暑陰陽喜怒也然始生有形未犯邪氣已有巔疾豈邪氣素傷卽故問之巔謂上巔則頭首也歧伯曰病名爲胎病此得之在母腹中時其母有所大驚氣上而不下精氣并居故令子發爲巔疾也精氣謂陽之精氣也帝曰有病痝然如有水狀切其脉大緊身無痛者形不瘦不能食食少名爲何病痝然謂面目浮起而色雜也大緊謂如弓弦也大卽爲氣緊卽爲寒寒氣内薄而反無痛與衆别異

常故問之也岐伯曰病生在腎名爲腎風脉如弓弦大而且緊勞氣內蓄寒復內爭勞氣薄寒故化爲風風勝於腎故曰腎風腎風而不能食善驚驚已心氣痿者死腎水受風心火痿弱火水俱困故必死帝曰善

○大奇論篇第四十八新校正云按全元起本在第九卷

肝滿腎滿肺滿皆實即爲腫滿謂脉氣滿實也腫謂癰腫也藏氣滿乃如是肺之雍喘而兩胠滿肺藏氣而外主息其脉支別者從肺系橫出肺下故喘而兩胠滿也○新校正云詳肺雍肝雍腎雍甲乙經俱作癰肝

雍兩胠滿臥則驚不得小便肝之脉循股陰入髦中環陰器抵少腹上貫肝鬲布脇肋故胠滿不得小便也肝主驚駭故臥則驚腎雍脚下至少腹滿新校正云按甲乙經脚下作胠下脚當作胠不得言脚下至少腹也脛有大小髀胻大跛易偏枯衝脉者經脉之海與少陰之絡俱起於腎下出於氣街循陰股內廉斜入膕中循胻骨內廉並少陰之經下入內踝之後入足下其上行者出齊下同身寸之三寸故如是若血氣變易為偏枯也心脉滿大癇瘛筋攣心脉滿大則肝氣下流熱氣內薄筋乾血涸故癇瘛而筋攣肝脉小急癇瘛筋攣肝養筋內藏血肝氣受寒故癇瘛而筋攣脉小

急者寒也肝脉驚暴有所驚駭驚謂馳驚言其迅急也陽氣内薄故發爲驚也脉不至若瘖不治自已肝氣若厥厥則脉不通厥還則脉復通矣又其脉布脇肋循喉嚨之後故脉不至若瘖不治亦自已腎脉小急肝脉小急心脉小急不鼓皆爲瘕小急爲寒甚不鼓則血不流血不流而寒薄故血内凝而爲瘕也腎肝并沉爲石水肝脉入陰内貫少腹腎脉貫脊中絡膀胱兩藏并藏氣薰衝脉自腎下絡於胞令水不行化故堅而結然腎主水冬水冰水宗於腎腎象水而沉故氣并而沉名爲石水○新校正云詳腎肝並沉至下并小弦欲驚全元起本在厥論中王氏移於此并浮爲風水

脉浮爲風下焦主水風薄於下故名風水并虚爲死腎爲五藏之根肝爲發生之主二者不足是生主俱微故死并小弦欲驚脉小弦爲肝腎俱不足故爾腎脉大急沉肝脉大急沉皆爲疝疝者寒氣結聚之所爲也夫脉沉爲實脉急爲痛氣實寒薄聚故爲絞痛爲疝心脉搏滑急爲心疝肺脉沉搏爲肺疝皆寒薄於藏故也三陽急爲瘕三陰急爲疝太陽受寒血凝爲瘕太陰受寒氣聚爲疝二陰急爲癇厥二陽急爲驚二陰少陰也二陽陽明也○新校正云詳三陽急爲瘕至此全元起本在厥論王氏移於此脾脉外鼓沉爲腸

澼久自已外鼓謂鼓動於臂外也肝脉小緩爲腸澼易治肝脉小緩爲脾乘肝故易治腎脉小搏沉爲腸澼下血小爲陰氣不足搏爲陽氣乘之熱在下焦故下血也血溫身熱者死血溫身熱是陰氣喪敗故死心肝澼亦下血肝藏血心養血故澼皆下血也二藏同病者可治心火肝木木火相生故可治之其脉小沉濇爲腸澼心肝脉小而沉濇者澼也其身熱者死熱見七日死陽澼下血而身熱者是火氣內絶去心而歸於外也故死火成數七故七日死胃脉沉鼓濇胃外鼓大心脉小堅急皆鬲偏

枯外鼓謂不當尺寸而鼓擊於臂外側也男子發左女子發右陽主左陰主右故爾陰陽應象大論曰左右者陰陽之道路此其義也不瘖舌轉可治三十日起偏枯之病瘖不能言腎與胞脉內絕也胞脉繫於腎腎之脉從腎上貫肝鬲入肺中循喉嚨俠舌本故氣內絕則瘖不能言也其從者瘖三歲起從謂男子發左女子發右也病順左右而瘖不能言三歲治之乃能起年不滿二十者三歲死以其五藏始定血氣方剛藏始定則易傷氣方剛則甚費易傷甚費故三歲死脉至而搏血衄身熱者死血衄爲虛脉不應搏今反脉搏是氣極乃然故死脉來懸鉤浮爲

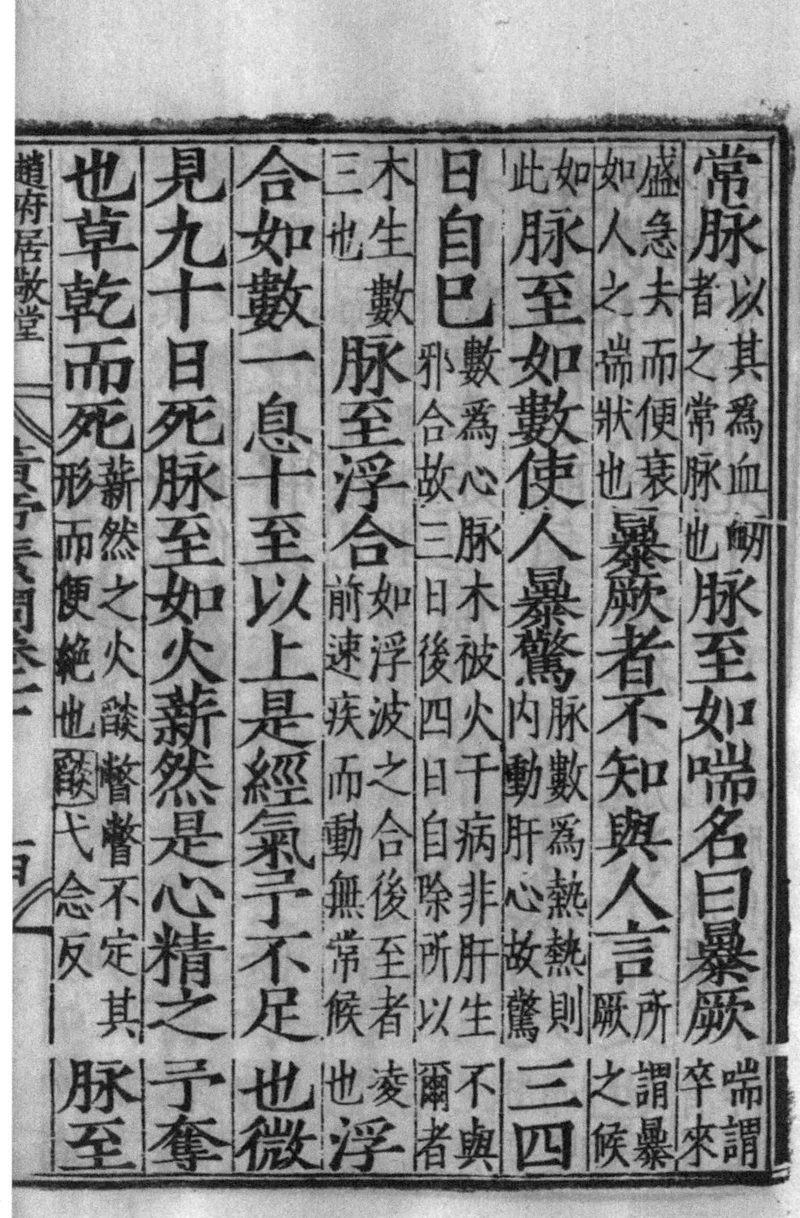

常脉以其爲血衂者之常脉也脉至如喘名曰暴厥喘謂卒來
盛急去而便衰如人之喘狀也暴厥者不知與人言所謂暴厥之候
如此脉至如數使人暴驚脉數爲熱熱則内動肝心故驚三四
日自已數爲心脉木被火干病非肝生不與邪合故三日後四日自除所以爾者
木生數三也脉至浮合如浮波之合後至者凌前速疾而動無常候也浮
合如數一息十至以上是經氣予不足也微
見九十日死脉至如火薪然是心精之予奪
也草乾而死薪然之火燄瞥瞥不定其形而便絶也䬳弋念反脉至

如散葉是肝氣予虛也木葉落而死如散葉之隨風不常其狀○新校正云按甲乙經散葉作叢棘脉至如省客省客者脉塞而鼓是腎氣予不足也懸去棗華而死脉塞而鼓謂纔見不行旋復去也懸謂如懸物物動而絕去也脉至如丸泥是胃精予不足也榆莢落而死如珠之轉是謂丸泥脉至如橫格是膽氣予不足也禾熟而死脉長而堅如橫木之在指下也脉至如弦縷是胞精予不足也病善言下霜而死不言可治胞之脉繫於腎腎之脉俠舌本令氣

不足者則當不能言今反善言是眞氣內絕去腎外歸於舌也故死脉至如交漆交漆者左右傍至也微見三十日死左右傍至言如歷漆之交左右反戻。新校正云按甲乙經交漆作交棘脉至如湧泉浮鼓肌中太陽氣予不足也少氣味韭英而死如水泉之動但出而不入脉至如頹土之狀按之不得是肌氣予不足也五色先見黑白壘發死頹土之狀謂浮之大而虛耎大按之則無。新校正云按甲乙經頹土作委土脉至如懸雍懸雍者浮揣切之益大是十二俞之予不足也水凝而死如顆中之懸雍也。新校正云按全元起本懸雍作懸離元起注云懸離者言脉與肉不相得也脉至如偃刀偃刀者浮之小急按之堅大急五藏菀熟寒熱獨并於腎也如此其人不得坐立春而死菀積也熟熱也脉至如丸滑不直手不直手者按之不可得也是大腸氣予不足也棗葉生而死脉至如華者令人善恐不欲坐臥行立常聽是小腸氣予不足也季秋而死脉至如華謂似華虛弱不可正取也小腸

之脉上入耳中故常聽也

○脉解篇第四十九新校正云按全元起本在第九卷

太陽所謂腫腰脽痛者正月太陽寅寅太陽也脽謂臀肉也正月三陽生主建寅三陽謂之太陽故曰寅太陽也正月陽氣出在上而陰氣盛陽未得自次也正月雖三陽生而天氣尚寒以其尚寒故曰陰氣盛陽未得自次次謂立王之次也故腫腰脽痛也以其脉抵腰中入貫臀過髀樞故爾病偏虛爲跛者正月陽氣東解地氣而出也所謂偏虛者冬寒頗

有不足者故偏虛爲跛也以其脉循股内後廉合膕中下循腨過外踝之後循京骨至小指外側故也○新校正詳王氏其脉循股内殊非按甲乙經太陽流注不到股内股内乃髀外之誤當云髀外後廉所謂強上引背者陽氣大上而爭故強上也強上謂頸項禁強也甚則引背矣所以爾者以其脉從腦出別下項背故也所謂耳鳴者陽氣萬物盛上而躍故耳鳴也以其脉支別者從巔至耳上角故爾所謂甚則狂巔疾者陽盡在上而陰氣從下下虛上實故狂巔疾也以其脉上額交巔上入絡腦還出其支別者從巔至

耳上角故狂巔疾也頂上曰巔所謂浮爲聾者皆在氣也亦以其脉至耳故也所謂入中爲瘖者陽盛已衰故爲瘖也陽氣盛入中而薄於胞腎則胞絡腎絡氣不通故瘖也胞之脉繫於腎腎之脉俠舌本故瘖不能言內奪而厥則爲瘖俳此腎虛也俳廢也腎之脉與衝脉並出於氣衝循陰股內廉斜入膕中循脛骨內廉及內踝之後入足下故腎氣內奪而不順則舌瘖足廢故云此腎虛也○新校正云詳王注云腎之脉與衝脉並出按甲乙經是腎之絡非腎之脉況王注痿論并奇病論大奇論並云腎之絡則此脉字當爲絡少陰不至者厥也少陰腎脉也若腎氣內脫則少陰脉不至也少

陰之脉不至則太陰之氣逆上而行也少陽所謂心脇痛者言少陽盛也盛者心之所表也心氣逆則少陽盛心氣宜木外鑠肺金故盛者心之所表也九月陽氣盡而陰氣盛故心脇痛也足少陽脉循脇裏出氣街心主脉循胷出脇故爾火墓於戌故九月陽氣盡而陰氣盛也所謂不可反側者陰氣藏物也物藏則不動故不可反側也所謂甚則躍者躍謂跳躍也九月萬物盡衰草木畢落而墮則氣去陽而之陰氣盛而陽之下長故謂躍亦以其脉循髀陽出

膝外廉下入外輔之前直下抵絶骨之端下出外踝之前循足跗故氣盛則令人跳躍也

陽明所謂灑灑振寒者陽明者午也五月盛陽之陰也陽盛以明故云午也五月夏至一陰氣上陽氣降下故云盛陽之音也陽盛而陰氣加之故灑灑振寒也陽氣下陰氣升故云陽盛而陰氣加之也所謂脛腫而股不收者是五月盛陽之陰也陽者衰於五月而一陰氣上與陽始爭故脛腫而股不收也以其脉下髀抵伏莵下入膝髕中下循胻外廉下足雖入中指內間又其支别者下膝三寸而别以下入中指外間故爾

所謂上喘而爲水者陰氣下而復上上則邪客於藏府間故爲水也藏脾也府胃也足太陰脉從足走腹足陽明脉從頭走足今陰氣微下而太陰上行故云陰氣下而復上也復上則所下之陰氣不散客於脾胃之間化爲水也所謂胷痛少氣者水氣在藏府也水者陰氣也陰氣在中故胷痛少氣也水停於下則氣鬱於上氣鬱於上則肺滿故胷痛少氣也所謂甚則厥惡人與火聞木音則惕然而驚者陽氣與陰氣相薄水火相惡故惕然而驚也所謂欲獨閉

户牖而處者，陰陽相薄也，陽盡而陰盛，故欲獨閉户牖而居。惡喧故爾。所謂病至則欲乘高而歌，棄衣而走者，陰陽復爭而外并於陽，故使之棄衣而走也。新校正云：詳所謂甚則厥至此，與前陽明脉解論相通。所謂客孫脉則頭痛鼻鼽腹腫者，陽明并於上，上者則其孫絡太陰也，故頭痛鼻鼽腹腫也。太陰所謂病脹者，太陰子也，十一月萬物氣皆藏於中，故曰病脹。陰氣太盛，太陰始於子，故云子也。以其脉入腹屬脾絡胃故病脹也所謂上走心爲噫者陰盛而上走於陽明陽明絡屬心故曰上走心爲噫也按靈樞經說足陽明流注並無至心者太陰脉說云其支別者復從胃別上鬲注心中法應以此絡爲陽明絡也○新校正云詳王氏以足陽明流注並無至心者按甲乙經陽明之止上通於心循咽出於口宜其經言陽明絡屬心爲噫王氏安得謂之無所謂食則嘔者物盛滿而上溢故嘔也以其脉屬脾絡胃上鬲俠咽故也所謂得後與氣則快然如衰者十一月陰氣下衰而陽氣且出故曰得後與氣則

快然如衰也少陰所謂腰痛者少陰者腎也十月萬物陽氣皆傷故腰痛也少陰者腎脉也腰爲腎府故腰痛也所謂嘔欬上氣喘者陰氣在下陽氣在上諸陽氣浮無所依從故嘔欬上氣喘也以其脉從腎上貫肝鬲入肺中故病如是所謂色色新校正云詳色色字疑誤不能久立久坐起則目䀮䀮無所見者萬物陰陽不定未有主也秋氣始至微霜始下而方殺萬物陰陽內奪故目䀮䀮無所見也所謂

少氣善怒者陽氣不治陽氣不治則陽氣不得出肝氣當治而未得故善怒善怒者名曰煎厥所謂恐如人將捕之者秋氣萬物未有畢去陰氣少陽氣入陰陽相薄故恐也所謂惡聞食臭者胃無氣故惡聞食臭也所謂面黑如地色者秋氣内奪故變於色也所謂欬則有血者陽脉傷也陽氣未盛於上而脉滿滿則欬故血見於鼻也厥陰所謂癩疝婦人

少腹腫者厥陰者辰也三月陽中之陰邪在中故曰㿉疝少腹腫也以其脉循陰股入髦中環陰器抵少腹故爾所謂腰脊痛不可以俛仰者三月一振榮華萬物一俛而不仰也所謂㿉癃疝膚脹者曰陰亦盛而脉脹不通故曰㿉癃疝也所謂甚則嗌乾熱中者陰陽相薄而熱故嗌乾也此一篇殊與前後經文不相連接別釋經脉發病之源與靈樞經流注略同所指殊異。新校正云詳此篇所解多甲乙經是動所生之病雖復少有異處大槩則不殊矣

○刺要論篇第五十（新校正云按全元起本在第六卷刺齊篇中）

黃帝問曰：願聞刺要。岐伯對曰：病有浮沉，刺有淺深，各至其理，無過其道。（道謂氣所行之道也）過之則內傷，不及則生外壅，壅則邪從之。（過之內傷以大深也，不及外壅以妄益他分之氣也，氣益而外壅，故邪氣隨虛而從之也）淺深不得，反爲大賊，內動五藏，後生大病。（賊謂私害，動謂動亂，然不及則外壅，過之則內傷，既且外壅內傷，是爲大病之階漸爾，故曰後生大病也）故曰：病有在毫毛腠理者，有在皮膚者，有在肌肉者有在脉者有在筋者有在骨者有在髓者毛之長者曰毫皮之文理曰腠理然二者皆皮之可見者是故刺毫毛腠理無傷皮皮傷則內動肺肺動則秋病溫瘧泝泝然寒慄鍼經曰凡刺有五以應五藏一曰半刺半刺者淺內而疾發鍼令鍼傷多如拔髮狀以取皮氣此肺之應也然此其淺以應於肺腠理毫毛由應更淺當取髮根淺深之半爾肺之合皮王於秋氣故肺動則秋病溫瘧泝泝然寒慄也泝音素刺皮無傷肉肉傷則內動脾脾動則七十二日四季之月病腹脹煩不嗜食脾之合肉寄王四季

又其脉從股内前廉入腹屬脾絡胃上鬲俠咽連舌本散舌下其支别者復從胃别上鬲注心中故傷肉則痛脾脾動則四季之月病腹脹煩而不嗜食也七十二日四季之月者謂三月六月九月十二月各十二日後七寄王十八日也**刺肉無傷脉脉傷則内動心心動則夏病心痛**心之合脉王於夏氣真心少陰之脉起於心中出屬心係心包心主之脉起於胷中出屬心包平人氣象論曰藏真通於心故脉傷則動心心動則夏病心痛**刺脉無傷筋筋傷則内動肝肝動則春病熱而筋弛**肝之合筋王於春氣鍼經曰熱則筋緩故筋傷則動肝肝動則春病熱而筋弛緩弛猶縱緩也弛施是反**刺筋無**

傷骨骨傷則内動腎腎動則冬病脹腰痛腎之合骨王於冬氣腰爲腎府故骨傷則動腎腎動則冬病腰痛也腎之脉直行者從腎上貫肝膈故脹也刺骨無傷髓髓傷則銷鑠胻酸體解㑊然不去矣髓者骨之充鍼經曰髓海不足則腦轉耳鳴胻酸眩冒故髓傷則腦髓銷鑠胻酸體解㑊然不去也銷鑠謂髓腦銷鑠解㑊謂強不強弱不弱熱不熱寒不寒解解㑊㑊然不可名之也腦髓銷鑠骨空之所致也鑠詩若反眩音縣

○刺齊論篇第五十一新校正云按全元起本在第六卷

黃帝問曰願聞刺淺深之分謂皮肉筋脉骨之分位也岐

伯對曰刺骨者無傷筋刺筋者無傷肉刺肉者無傷脉刺脉者無傷皮刺皮者無傷肉刺肉者無傷筋刺筋者無傷骨帝曰余未知其所謂願聞其解歧伯曰刺骨無傷筋者鍼至筋而去不及骨也刺筋無傷肉者至肉而去不及筋也刺肉無傷脉者至脉而去不及肉也刺脉無傷皮者至皮而去不及脉也是皆謂遣邪也然筋有寒邪肉有風邪脉有濕邪皮有熱邪則如是遣之所謂邪者皆言其非順正

氣而相干犯也○新校正云詳此謂刺淺所不至所當刺之處也下文則誡其大深也

謂刺皮無傷肉者病在皮中鍼入皮中無傷肉也刺肉無傷筋者過肉中筋也刺筋無傷骨者過筋中骨也此謂之反也此則誡過分大深也○新校正云按全元起云刺如此者是謂傷此皆過過必損其血氣是謂逆也邪必因而入也

○刺禁論篇第五十二新校正云按全元起云在第六卷

黃帝問曰願聞禁數岐伯對曰藏有要害不可不察肝生於左肝象木王於春春陽發生故生於左也肺藏

於右肺象金王於秋秋陰收殺故藏於右也○新校正云按楊上善云肝爲少陽陽長之始故曰生肺爲少陰陰藏之初故曰藏心部於表陽氣主外心象火也腎治於裏陰氣主內腎象水也○新校正云按楊上善云心爲五藏部主故得稱部腎間動氣內治五藏故曰治脾謂之使營動不已糟粕水穀故使者也胃爲之市水穀所歸五味皆入如市雜故爲市也鬲肓之上中有父母鬲肓之上氣海居中氣者生之原生者命之主故氣海爲人之父母也○新校正云按楊上善云心下鬲上爲肓心爲陽父也肺爲陰母也肺主於氣心主於血共榮衛於身故爲父母七節之傍中有小心小心謂真心神靈之宮室

○新校正云按太素小心作志心惕上善云脊有三七二十一節腎在下七節之傍腎神曰志五藏之靈皆名爲神神之所以在得名爲志者心之神也從之有福逆之有咎從謂隨順也八者人之所以生形之所以成故順之則福延逆之則咎至刺中心一日死其動爲噫心在氣爲噫刺中肝五日死其動爲語肝在氣爲語○新校正云按全元起本幷甲乙經語作欠元起云腎傷則欠子母相感也王氏改欠作語刺中腎六日死其動爲嚏腎在氣爲嚏○新校正云按全元起本及甲乙經六日作三日刺中肺三日死其動爲欬肺在氣爲欬刺中脾十日死其

動爲呑脾在氣爲呑○新校正云按全元起本及甲乙經十日作十五日刺中五藏與診要經絡論并四時刺逆從論相重此敘五藏相次之法以所生爲次甲乙經以心肺肝脾腎爲次是以所剋爲次全元起本舊文則錯亂無次矣刺中膽一日半死其動爲嘔膽氣勇故爲嘔○新校正云按診要經絡論刺中膽下又云刺中鬲者爲傷中其病雖愈不過一歲死刺跗上中大脉血出不止死跗爲足跗大脉動而不止者則胃之大經也胃爲水穀之海然血出不止則胃氣將傾海竭氣亡故死刺面中溜脉不幸爲盲面中溜脉者手太陽任脉之交會手太陽脉自顴而斜行至目内眥任脉自鼻鼽兩傍上行至瞳子

下故刺面中溜脈不幸為盲刺頭中腦戶入腦立死腦戶穴名也在枕骨上通於腦中然腦為髓之海眞氣之所聚鍼入腦則眞氣泄故立死刺舌下中脈太過血出不止為瘖舌下脈脾之脈也脾脈者俠咽連舌本散舌下血出不止則脾氣不能營運於舌故瘖不能言語刺足下布絡中脈血不出為腫布絡謂當內踝前足下空處布散之絡正當然谷穴分也絡中脈則衝脈也衝脈者並少陰之經下入內踝之後入足下也然刺之而血不出則腎脈與衝脈氣并歸於然谷之中故為腫刺郄中大脈令人仆脫色尋此經郄中主治與中誥流注經委中穴正同應郄中者以經穴為名委

中處所爲名亦猶寸口脉口氣口皆同一處爾然郄中大脉者足太陽經脉也足太陽之脉起於目内眥合手太陽手太陽脉自目内眥斜絡於顴足太陽脉上頭下項又循於足故刺之過禁則令人仆倒而面色如脫去也刺氣街中脉血不出爲腫鼠僕氣街之中膽胃脉也膽之脉循脇裏出氣街胃之脉俠齊入氣街中其支別者起胃下口循腹裏至氣街中而合今刺之而血不出則血脉氣并聚於中故内結爲腫如伏鼠之形也氣街在腹下俠齊兩傍相去四寸鼠僕上一寸動脉應手也○新校正云按別本僕一作鼷氣府論注氣街在齊下横骨兩端鼠鼷上一寸也刺脊間中髓爲傴傴謂傴僂身踡屈也脊間謂脊骨節間也刺中髓則骨精氣泄

故傴僂也刺乳上中乳房爲腫根蝕乳之上下皆足陽明之脈也乳房之中乳液滲泄胷中氣血皆外湊之然刺中乳房則氣血交湊故爲大腫中有膿根內蝕肌膚化爲膿水而久故不愈也刺缺盆中內陷氣泄令人喘欬逆五藏者肺爲之蓋缺盆爲之道肺藏氣而主息又在氣爲欬刺缺盆中內陷則肺氣外泄故令人喘欬逆也刺手魚腹內陷爲腫手魚腹內肺脈所流故刺之內陷則爲腫也○新校正云按甲乙經肺脈所流當作留字無刺大醉令人氣亂脈數過度故因刺而亂也○新校正云按靈樞經氣亂當作脈亂無刺大怒令人氣逆怒者氣逆甚刺之益甚無

刺大勞人經氣越也無刺新飽人氣盛滿也無刺大饑人氣不足也無刺大渴人血脉乾也無刺大驚人神蕩越而氣不治也。新校正云詳無刺大醉至此七條與靈樞經相出入靈樞經云新內無刺已刺無內大怒無刺已刺無怒大勞無刺已刺無勞大醉無刺已刺無醉大飽無刺已刺無飽大饑無刺已刺無饑大渴無刺已刺無渴大驚大恐必定其氣乃刺之也刺陰股中大脉血出不止死陰股之中脾之脉也脾者中央土孤藏以灌四傍今血出不止脾氣將竭故死。新校正云按刺陰股中大脉條皇甫士安移在前刺跗上中大脉下相續自後至篇末逐條與前條相間也刺客主人內陷中脈爲內漏爲聾客主人穴名也今名上關在耳前上廉起骨開口有空手少陽足陽明脈交會於中脂脈言刺大深也刺大深則交脈破決故爲耳內之漏脈內漏則氣不營故聾○新校正云詳客主人穴與氣穴論注同按甲乙經及氣府論注云手足少陽足陽明三脈之會疑此脫足少陽一脈也刺膝髕出液爲跛膝爲筋府筋會於中液出筋乾故跛髕音牝刺臂太陰脈出血多立死臂太陰者肺脈也肺者主行榮衛陰陽治節由之血出多則榮衛絕故立死刺足少陰脈重虛出血爲舌難以言足少陰腎脈也足少陰脈貫腎絡肺繫舌本故重虛出血則舌難言也刺膺中陷中肺

爲喘逆仰息肺氣上泄逆所致也刺肘中内陷氣歸之爲不屈伸肘中謂肘屈折之中尺澤穴中也刺過陷脉惡氣歸之氣固關節故不屈伸也刺陰股下三寸内陷令人遺溺股下三寸腎之絡也衝脉與少陰之絡皆起於腎下出於氣街並循於陰股其上行者出胞中故刺陷脉則令人遺溺也刺掖下脇間内陷令人欬掖下肺脉也肺之脉從肺係橫出掖下眞心藏脉直行者從心係却上掖下刺陷脉則心肺俱動故欬也刺少腹中膀胱溺出令人少腹滿胞氣外泄穀氣歸之故少腹滿也少腹謂齊下也刺腨腸内陷爲腫腨腸之中足太陽脉也太

陽氣泄故爲腫刺匡上陷骨中脉爲漏爲盲匡目匡也骨中謂目匡骨中也匡骨中脉目之係肝之脉也刺內陷則眼係絕故爲目漏目盲刺關節中液出不得屈伸諸筋者皆屬於節津液滲潤之液出則筋膜乾故不得屈伸也

○刺志論篇第五十三新校正云按全元起本在第六卷

黃帝問曰願聞虛實之要岐伯對曰氣實形實氣虛形虛此其常也反此者病陰陽應象大論曰形歸氣氣由是故虛實同焉反謂不相合應失常平之候也形氣相反故病生氣謂脉氣形謂

身形也穀盛氣盛穀虛氣虛此其常也反此者病靈樞經曰榮氣之道內穀爲實穀入於胃氣傳與肺精專者上行經隧由是故穀氣虛實占必同焉候不相應則爲病也○新校正云按甲乙經實作寳脉實血實脉虛血虛此其常也反此者病脉者血之府故虛實同焉反不相應則爲病也帝曰如何而反岐伯曰氣虛身熱此謂反也氣虛爲陽氣不足陽氣不足當身寒反身熱者脉氣當盛脉不盛而身熱證不相符故謂反也○新校正云按甲乙經云氣盛身寒氣虛身熱此謂反也當補此四字穀入多而氣少此謂反也胃之所出者穀氣而布於

經脉也穀入於胃脉道乃散今穀入多而氣少者是胃氣不散故謂反也穀不入而氣多此謂反也胃氣外散肺并之也脉盛血少此謂反也脉少血多此謂反也經脉行氣絡脉受血經氣入絡絡受經氣候不相合故皆反常也氣盛身寒得之傷寒氣虛身熱得之傷暑傷謂觸冒也寒傷形故氣盛身寒熱傷氣故氣虛身熱穀入多而氣少者得之有所脫血濕居下也脫血則血虛血虛則氣盛內鬱化成津液流入下焦故云濕居下也穀入少而氣多者邪在胃及與肺也胃氣不足肺氣下流於胃中故邪在胃然

肺氣入胃則肺氣不自守氣不自守則邪氣從之故云邪在胃及與肺也脉小血多者飲中熱也飲謂留飲也飲留脾胃之中則脾氣溢脾氣溢則發熱中脉大血少者脉有風氣水漿不入此之謂也風氣盛滿則水漿不入於脉夫實者氣入也虛者氣出也入為陽出為陰陰生於內故出陽生於外故入氣實者熱也氣虛者寒也陽盛而陰內拒故熱陰盛而陽外微故寒入實者右手開鍼空也入虛者左手閉鍼空也言用鍼之補寫也右手持鍼左手捻穴故實者右手開鍼空以寫之虛者左手開鍼空以補之也捻音涅

○鍼解篇第五十四新校正云按全元起本在第六卷

黃帝問曰：願聞九鍼之解，虛實之道。岐伯對曰：刺虛則實之者，鍼下熱也，氣實乃熱也。滿而泄之者，鍼下寒也，氣虛乃寒也。菀陳則除之者，出惡血也。菀，積也。陳，久也。除，去也。言絡脉之中血積而久者，鍼刺而除去之也。邪盛則虛之者，出鍼勿按。邪者，不正之目，非本經氣，是則謂邪，非言鬼毒精邪之所勝也。出鍼勿按，穴俞且開，故得經虛，邪氣發泄也。徐而疾則實者，徐出鍼而疾按之。疾而徐則虛者疾出鍼而徐按之徐出謂得經氣已久乃出之疾按謂鍼出穴已速疾按之則眞氣不泄經脉氣全故徐而疾乃實也疾出鍼謂鍼入穴已至於經脉即疾出之徐按謂鍼出穴已徐緩按之則邪氣得泄精氣復間故疾而徐乃虛也言實與虛者寒温氣多少也寒温謂經脉陰陽之氣也若無若有者疾不可知也言其冥昧不可即而知也夫不可即知故若無慧然神悟故若有也察後與先者知病先後也知病先後乃補寫之爲虛與實者工勿失其法鍼經曰經氣已至慎守勿失此之謂也○新校正云按甲乙經云若有若無爲虛與實若得若失者離其

法也妄爲補寫離亂大經誤補實者轉令若得誤寫虛者轉令若失故曰若得若失也鍼經曰無實實無虛虛此其誠也○新校正云詳自篇首至此與太素九鍼解篇經同而解異二經互相發明也虛實之要九鍼最妙者爲其各有所宜也熱在頭身宜鑱鍼肉分氣滿宜員鍼脉氣虛少宜鍉鍼寫熱出血發泄固病宜鋒鍼破癰腫出膿血宜鈹鍼調陰陽去暴痺宜員利鍼治經絡中痛痺宜毫鍼痺深居骨解腰脊節腠之間者宜長鍼虛風舍於骨解皮膚之間宜大鍼此之謂各有所宜也○新校正云按別本鍉一作鈹鍉音氐補寫之時者與氣開闔相合也氣當時刻謂之開已過未至謂之闔時刻者然水下一刻人氣在太

陽水下二刻人氣在少陽水下三刻人氣在陽明水下四刻人氣在陰分水下不已氣行不已如是則當刻者謂之開過刻及未至者謂之闔也鍼經曰謹候其氣之所在而刺之是謂逢時此所謂補寫之時也○新校正云詳自篇首至此文出靈樞經素問解之互相發明也甲乙經補寫之時以鍼爲之者此脫此四字九鍼之名各不同形者鍼窮其所當補寫也各不同形形謂長短鋒穎不等窮其補寫謂各隨其療而用之也○新校正云按九鍼之形今具甲乙經刺實須其虛者留鍼陰氣隆至乃去鍼也刺虛須其實者陽氣隆至一鍼下熱乃去鍼也言要以氣至而有効也

經氣已至慎守勿失者勿變更也變謂變易更謂改更皆變法也言得氣至必宜謹守無變其法反招損也淺深在志者知病之內外也志一爲意志意皆行鍼之用也近遠如一者深淺其候等也言氣雖近遠不同然其測候皆以氣至而有効也如臨深淵者不敢墯也言氣候補寫如臨深淵不敢墯慢失補寫之法也手如握虎者欲其壯也壯謂持鍼堅定也鍼經曰持鍼之道堅者爲實則其義也。新校正云按甲乙經實字作寶神無營於衆物者靜志觀病人無左右視也目絕妄視心專一務則用之必中無惑誤

黃帝素問卷七

也。新校正詳從刺實須其虛至此文見寶命全形論此又爲之解亦互相發明也義無邪下者欲端以正也正指直刺鍼無左右必正其神者欲瞻病人目制其神令氣易行也檢彼精神令無散越則氣爲神使中外易調也所謂三里者下膝三寸也所謂跗之者新校正云按全元起本跗之作低跗太素作付之按骨空論跗之疑作跗上舉膝分易見也三里穴名正在膝下三寸䯒外兩筋肉分間極重按之則足跗上動脈止矣故曰舉膝分易見巨虛者蹻足䯒獨陷者巨虛穴名也蹻謂舉也取巨虛下廉當舉足取之則䯒外兩筋之間陷下也下廉者陷下者也欲知下廉穴者腧外兩筋之間獨陷下者則其處也帝曰余聞九鍼上應天地四時陰陽願聞其方令可傳於後世以爲常也岐伯曰夫一天二地三人四時五音六律七星八風九野身形亦應之鍼各有所宜故曰九鍼新校正云詳此文與靈樞經相出入人皮應天覆蓋於物天之象也人肉應地柔厚安靜地之象也人脉應人盛衰變易人之象也人筋應時堅固貞定時之象也人聲應音備五音故人陰陽合氣應律交會氣通相生無替

則律之象。新校正云按别本氣一作度人齒面目應星人面應七星者所謂面有七孔應之也。新校正云詳此注乃全元起之辭也人出入氣應風動出往來風之象也人九竅三百六十五絡應野身形之外野之象也故一鍼皮二鍼肉三鍼脉四鍼筋五鍼骨六鍼調陰陽七鍼益精八鍼除風九鍼通九竅除三百六十五節氣此之謂各有所主也一鑱鍼二員鍼三鍉鍼四鋒鍼五鈚鍼六員利鍼七毫鍼八長鍼九大鍼。新校正云按别本鈚一作鈹人心意應八風動靜不形風之象也人氣應天運行不息天之象也人髮齒耳目五聲應五音六律髮齒生長耳目清通五聲應同故應五音及六律也人陰陽脉血氣應地人陰陽有交會生成脉血氣有虛盈盛衰故應地也人肝目應之九肝氣通目木生數三三而三之則應之九也九竅三百六十五新校正云按全元起本無此七字人一以觀動靜天二以候五色七星應之以候髮毋澤五音一以候宮商角徵羽六律有餘不足應之二地一以候高下有餘九野一節俞應之以候閉節三人

變一分人候囟泄多血少十分角之變五分以候緩急六分不足三分寒關節第九分四時人寒溫燥濕四時一應之以候相反一四方各作解此一百二十四字蠹簡爛文義理淺缺莫可尋究而上古書故且載之以佇後之具本也○新校正云詳王氏云一百二十四字今有一百二十三字又亡一字

○長刺節論篇第五十五新校正云按全元起本在第三卷

刺家不診聽病者言在頭頭疾痛爲藏鍼之

藏猶深也言深刺之故下文曰○新校正云按全元起本云爲鍼之無藏字刺至骨病已上無傷骨肉及皮皮者道也皮者鍼之道故刺骨無傷骨肉及皮也陰刺入一傍四處治寒熱頭有寒熱則用陰刺法治之陰刺謂卒刺之如此數也○新校正云按別本卒刺一作平刺按甲乙經陽刺者正內一傍內四陰刺者左右卒刺之此陰刺疑是陽刺深專者刺大藏寒熱病氣深專攻中者當刺五藏以拒之迫藏刺背背俞也迫近也漸近於藏則刺背五藏之俞也刺之迫藏藏會言刺近於藏者何也以是藏氣之會發也腹中寒熱去而止言刺背俞也無問其數要

以寒熱去乃止鍼與刺之要發鍼而淺出血若與諸俞刺之

則如此治腐腫者刺腐上視癰小大深淺刺腐腫謂腫中肉腐敗爲膿血者癰小者淺刺之癰大者深刺之。新校正云按全元起本及甲乙經腐作癰刺大者多血小者深之必端內鍼爲故正癰之大者多出血癰之小者但直鍼之而已。新校正云按甲乙經云刺大者多而深之必端內鍼爲故正也此文云小者深之疑此誤病在少腹有積

刺皮骺以下至少腹而止刺俠脊兩傍四椎間刺兩髂髎季脇肋間導腹中氣熱下已少腹

積謂寒熱之氣結積也皮髓謂齊下同身寸之五寸橫約文審刺而勿過深之刺禁論曰刺少腹中膀胱溺出令人少腹滿由此故不可深之矣俠脊四椎之間據經無俞恐當云五椎間五椎之下兩傍正心之俞心應少腹故當言之間也髂謂腰骨髎一爲髁字形相近之誤也髎謂居髎腰側穴也季脇肋間當是刺季肋之間京門穴也○新校正云按釋音皮髓作皮骺是骺誤作髓也及徧尋篇韻中無髓字只有骺骺骨端也皮骺者蓋謂齊下橫骨之端也全元起本作骨髓元起注云齊傍埵起也亦未爲得〔髂〕口亞反〔骺〕光抹反

病在少腹腹痛不得大小便病名曰疝得之寒刺少腹兩股間刺腰髁骨間刺而多之盡

炅病已厥陰之脉環陰器抵少腹衝脉與少陰之絡皆起於腎下出於氣街循陰股其後行者自少腹以下骨中央女子入繫廷孔其絡循陰器合篡間繞篡後别繞臀至少陰與巨陽中絡者合少陰上股内後廉貫脊屬腎其男子循莖下至篡與女子等故刺少腹及兩股間又刺腰髁骨間也腰髁骨者腰房俠脊平立陷者中按之有骨處也疝爲寒生故多刺之少腹盡熱乃止鍼炅熱也○新校正云按别本篡一作基又初患反病在筋筋攣節痛不可以行名曰筋痺刺筋上爲故刺分肉間不可中骨也分謂肉分間有筋維絡處也刺筋無傷骨故不可中骨也病起筋炅病已止筋癕痺生故得筋熱病已

乃止病在肌膚肌膚盡痛名曰肌痺傷於寒濕刺大分小分多發鍼而深之以熱爲故大分謂大肉之分小分謂小肉之分無傷筋骨傷筋骨癰發若變鍼經曰病淺鍼深內傷良肉皮膚爲癰又曰鍼大深則邪氣反沉病益甚傷筋骨則鍼大深故癰發若變也諸分盡熱病已止熱可消寒故病已則止病在骨骨重不可舉骨髓酸痛寒氣至名曰骨痺深者刺無傷脉肉爲故其道大分小分骨熱病已止骨痺刺無傷脉肉者何自刺其氣通肉之大小分中也病在諸

陽脉且寒且熱諸分且寒且熱曰狂氣狂亂也刺
之虚脉視分盡熱病已止病初發歲一發不
治月一發不治月四五發名曰癲病刺諸分
諸脉其無寒者以鍼調之病已止新校正云按甲乙經
云刺諸分其脉尤寒以鍼補之病風且寒且熱炅汗出一日
數過先刺諸分理絡脉汗出且寒且熱三日
一刺百日而巳病大風骨節重鬚眉墮名曰
大風刺肌肉爲故汗出百日泄衛氣之怫熱刺骨髓

汗出百日泄榮氣之拂熱凡二百日鬚眉生而止鍼拂熱屏退陰氣內復故多汗出鬚眉生也

補註釋文黃帝內經素問卷之七

趙府居敬堂

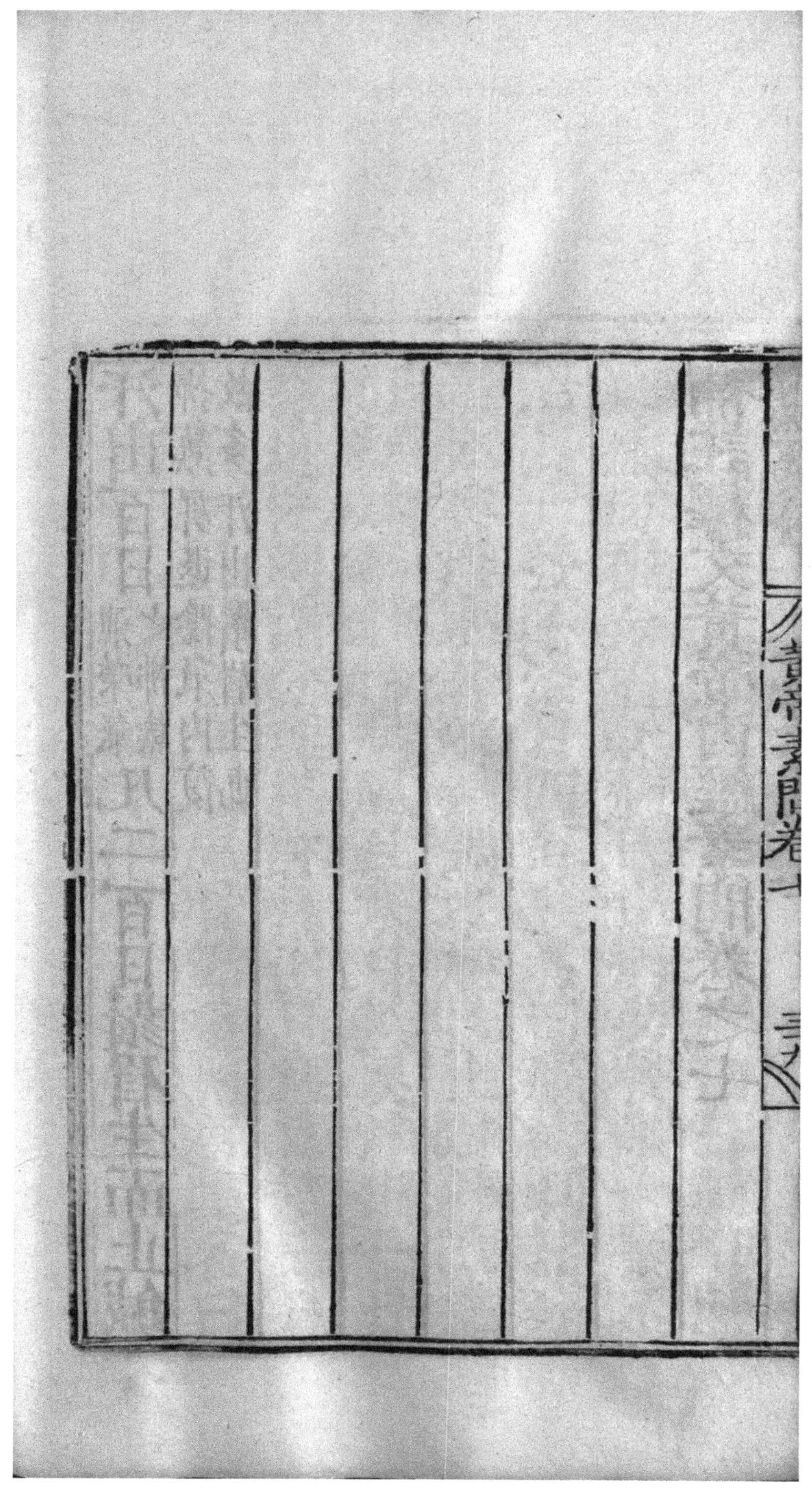

補註釋文黃帝內經素問卷之八

○皮部論篇第五十六

新校正云：按全元起本在第二卷

黃帝問曰：余聞皮有分部，脉有經紀，筋有結絡，骨有度量，其所生病各異，別其分部，左右上下，陰陽所在，病之始終，願聞其道。岐伯對曰：欲知皮部，以經脉爲紀者，諸經皆然。循經脉行止所主，則皮部可知。諸經，謂十二經脉也。十二經脉皆同。陽明之陽，名曰害蜚，蜚，生化也。害，殺氣也。殺氣行則生化弭，故曰害蜚。蜚，扶沸反。上下同法視其部中有浮絡者皆陽明之絡也上謂手陽明下謂足陽明也其色多青則痛多黑則痺黄赤則熱多白則寒五色皆見則寒熱也絡盛則入客於經陽主外陰主内陽謂陽絡陰謂陰絡此通言之也手足身分所見經絡皆然少陽之陽名曰樞持樞謂樞要上持謂執持下同法視其部中有浮絡者皆少陽之絡也絡盛則入客於經故在陽者主内在陰者主出以滲於内諸經皆然太陽之陽名曰關樞

闔司外動以靜鎮爲事如樞之運則氣和平也上下同法視其部中有浮絡者皆太陽之絡也絡盛則入客於經少陰之陰名曰樞儒儒順也守要而順陰陽開闔之用也○新校正云按甲乙經儒作檽上下同法視其部中有浮絡者皆少陰之絡也絡盛則入客於經其入經也從陽部注於經其出者從陰內注於骨心主之陰名曰害肩心主脉入掖下氣不和則妨害肩掖之動運上下同法視其部中有浮絡者皆心主之絡也絡盛

則入客於經太陰之陰名曰關蟄關閉蟄類使順行藏○新校正云按甲乙經蟄作執上下同法視其部中有浮絡者皆太陰之絡也絡盛則入客於經部皆謂本經絡之所部分浮謂浮見也凡十二經絡脉者皮之部也列陰陽位部主於皮故曰皮之部也是故百病之始生也必先於皮毛邪中之則腠理開開則入客於絡脉留而不去傳入於經留而不去傳入於府廩於腸胃廩積也聚也邪之始入於皮也泝然起毫毛

開腠理泝然惡寒也起謂毛起竪也腠理皆謂皮空及文理也其入於絡也則絡脉盛色變盛謂盛滿變謂易其常也其入客於經也則感虛乃陷下經虛邪入故曰感虛脉虛氣少故陷下也其留於筋骨之間寒多則筋攣骨痛熱多則筋弛骨消肉爍䐃破毛直而敗攣急也弛緩也消爍也鍼經曰寒則筋急熱則筋緩寒勝爲痛熱勝爲氣消䐃者肉之標故肉消則䐃破毛直而敗也䐃渠殞反帝曰夫子言皮之十二部其生病皆何如岐伯曰皮者脉之部也脉氣流行各有陰陽氣隨經所過而

部主之云脈之部故邪客於皮則腠理開開則邪入客於絡脈絡脈滿則注於經脈經脈滿則入舍於府藏也故皮者有分部不與而生大病也脈行皮中各有部分脈受邪氣隨則病生非由皮氣而能生也○新校正云按甲乙經不與作不愈全元起本作不與元起云言不與經脈和調則氣傷於外邪流入於內必生大病也帝曰善

○經絡論篇第五十七新校正云按全元起本在皮部論末王氏分篇

黄帝問曰：夫絡脉之見也，其五色各異，青黄赤白黑不同，其故何也？岐伯對曰：經有常色，而絡無常變也。經行氣，故色見常應於時；絡主血，故受邪則變而不一矣。帝曰：經之常色何如？岐伯曰：心赤，肺白，肝青，脾黄，腎黑，皆亦應其經脉之色也。帝曰：絡之陰陽，亦應其經乎？岐伯曰：陰絡之色應其經，陽絡之色變無常，隨四時而行也。順四時氣化之行止。寒多則凝泣，凝泣則青黑；熱多則淖澤，淖澤

則黃赤此皆常色謂之無病五色具見者謂之寒熱（淖濕也澤潤液也謂微濕潤也）帝曰善

○氣穴論篇第五十八（新校正云按全元起本在第二卷）

黃帝問曰余聞氣穴三百六十五以應一歲未知其所願卒聞之岐伯稽首再拜對曰窘乎哉問也其非聖帝孰能窮其道焉因請溢意盡言其處（孰誰也）帝捧手逡巡而却曰夫子之開余道也目未見其處耳未聞其數而目

以明耳以聽矣（目以明耳以聽言心志通明通如意也）岐伯曰此所謂聖人易語良馬易御也帝曰余非聖人之易語也世言眞數開人意今余所訪問者眞數發蒙解惑未足以論也（問氣穴眞數庶將解彼蒙昧之疑惑未足以論述深微之意也）然余願聞夫子溢志盡言其處令解其意請藏之金匱不敢復出（言其處謂穴之俞處所）岐伯再拜而起曰臣請言之背與心相控而痛所治天突與十椎及上紀（天突在頸結喉下同）

身寸之四寸中央宛宛中陰維任脉之會低鍼取之刺可入同身寸之一寸留七呼若灸者可灸三壯按今甲乙經經脉流注孔穴圖經當脊十椎下並無穴目恐是七椎也此則督脉氣所主之上紀之處灸如下說○新校正云按甲乙經云天突在結喉下五寸上紀者胃脘也謂中脘也脘者胃募也在上脘下同身寸之一寸居心蔽骨與齊之中手太陽少陽足陽明三脉所生任脉氣所發也刺可入同身寸之一寸二分若灸者可灸七壯○新校正云按甲乙經云任脉之會也蔽必寀反下紀者關元也關元者少陽募也在齊下同身寸之三寸足三陰任脉之會刺可入同身寸之二寸留七呼若灸者可灸七壯背胷邪繫陰陽左右如此其病

前後痛濇胷脇痛而不得息不得卧上氣短氣偏痛新校正云按別本偏一作滿脉滿起斜出尻脉絡胷脇支心貫鬲上肩加天突斜下肩交十椎下尋此支絡脉流注病形證悉是督脉支絡自尾骶出各上行斜絡脇支心貫鬲上加天突斜之肩而下交於十椎○新校正云詳自背與心相控而痛至此疑是骨空論文簡脱誤於此藏俞五十穴藏謂五藏肝心脾肺腎非兼四形藏也俞謂井滎俞經合非背俞也然井滎俞經合者肝之井者大敦也滎行間也俞大衝也經中封也合曲泉也大敦在足大指端去爪甲角如韭葉及三毛之中足厥陰脉之所出也刺可入同身

寸之二分留十呼若灸者可灸三壯行間在足大指之間脉動應手陷者中足厥陰之所流也○新校正云按甲乙經留作流餘所流並作留○刺可入同身寸之三分留十呼若灸者可灸三壯太衝在足大指本節後同身寸之二分陷者中○新校正云按刺腰痛注云本節後內間同身寸之二寸陷者中動脉應手足厥陰脉之所注也刺可入同身寸之三分留十呼若灸者可灸三壯中封在足內踝前同身寸之一寸半○新校正云按甲乙經云一寸○陷者中仰足而取之伸足乃得之足厥陰脉之所行也刺可入同身寸之四分留七呼若灸者可灸三壯曲泉在膝內輔骨下大筋上小筋下陷者中屈膝而得之足厥陰脉之所入也刺可入同身寸之六分留七呼若灸者可灸三壯心包之井者中衝也

滎勞宮也俞大陵也經間使也合曲澤也中衝在手中指之端去爪甲角如韭葉陷者中手心主脉之所出也刺可入同身寸之一分留三呼若灸者可灸一壯勞宮在掌中央動脉手心主脉之所流也刺可入同身寸之三分留六呼若灸者可灸三壯太陵在掌後骨兩筋間陷者中手心主脉之所注也刺可入同身寸之六分留七呼若灸者可灸三壯間使在掌後同身寸之三寸兩筋間陷者中手心主脉之所行也刺可入同身寸之六分留七呼若灸者可灸七壯○新校正云按甲乙經云灸三壯○曲澤在肘內廉下陷者中屈肘而得之手心主脉之所入也刺可入同身寸之三分留七呼若灸者可灸三壯脾之井者隱白也滎大都也俞大白也經商丘也合陰陵泉也隱白在足大指之端內側去爪甲

角如韭葉足太陰脈之所出也刺可入同身寸之一分留三呼若灸者可灸三壯大都在足大指本節後陷者中足太陰脈之所流也刺可入同身寸之三分留七呼若灸者可灸三壯太白在足內側核骨下陷者中足太陰脈之所注也刺可入同身寸之三分留七呼若灸者可灸三壯商丘在足內踝下微前陷者中足太陰脈之所行也刺可入同身寸之四分留七呼若灸者可灸三壯陰陵泉在膝下內側輔骨下陷者中伸足乃得之足太陰脈之所入也刺可入同身寸之五分留七呼若灸者可灸三壯肺之井者少商也榮魚際也俞大淵也經經渠也合尺澤也少商在手大指之端內側去爪甲角如韭葉手太陰脈之所出也刺可入同身寸之一分留一呼若灸者可灸三壯○新校正云按甲乙經作一

壯○魚際在手大指本節後內側散脉手太陰脉之所流也刺可入同身寸之二分留三呼若灸者可灸三壯大淵在掌後陷者中手太陰脉之所注也刺可入同身寸之二分留二呼若灸者可灸三壯經渠在寸口陷者中手太陰脉之所行也刺可入同身寸之三分留三呼不可灸灸傷人神明尺澤在肘中約上動脉手太陰脉之所入也刺可入同身寸之三分留三呼若灸者可灸三壯腎之井者涌泉也滎然谷也俞大谿也經復溜也○新校正云按甲乙經溜作留餘溜字竝同○合陰谷也涌泉在足心陷者中屈足捲指宛宛中足少陰脉之所出也刺可入同身寸之三分留二呼若灸者可灸三壯然谷在足內踝前起大骨下陷者中足少陰脉之所流也刺可入同身寸之三分留三呼若灸者可灸三壯

刺此多見血令人立饑欲食太谿在足內踝後跟骨上動脈陷者中足少陰脈之所注也刺可入同身寸之三分留七呼若灸者可灸三壯復溜在足內踝上同身寸之二寸陷者中○新校正云按刺腰痛篇注云在內踝後上二寸動脈○足少陰脈之所行也刺可入同身寸之三分留三呼若灸者可灸五壯陰谷在膝下內輔骨之後大筋之下小筋之上按之應手屈膝而得之足少陰脈之所入也刺可入同身寸之四分若灸者可灸三壯如是五藏之俞藏各五穴則二十五俞以左右脈具而言之則五十穴

府俞七十二穴府謂六府非兼九形府也俞亦謂井滎俞原經合非背俞也肝之府膽〻之井者竅陰也滎俠谿也俞臨泣也原丘虛也經陽輔也合陽陵泉也竅陰在足小指次指之

端去爪甲角如韭葉足少陽脉之所出也刺可入同身寸之一分留一呼。新校正云按甲乙經作三呼。若灸者可灸三壯俠谿在足小指次指岐骨間本節前陷者中足少陽脉之所流也刺可入同身寸之三分留三呼若灸者可灸三壯臨泣在足小指次指本節後間陷者中去俠谿同身寸之一寸半足少陽脉之所注也刺可入同身寸之三分。新校正云按甲乙經作二分。留五呼若灸者可灸三壯丘虛在足外踝下如前陷者中去臨泣同身寸之三寸足少陽脉之所過也刺可入同身寸之五分留七呼若灸者可灸三壯陽輔在足外踝上。新校正云按甲乙經云外踝上四寸輔骨前絶骨之端如前同身寸之三分所去丘虛同身寸之七寸足少陽脉之所行也刺可入同身寸之五分留七呼者灸者可灸三壯陽陵泉在膝下同身寸之一寸䯒外廉陷者中足少陽脈之所入也刺可入同身寸之六分留十呼若灸者可灸三壯脾之府胃胃之井者厲兌也滎內庭也俞陷谷也原衝陽也經解谿也合三里也厲兌在足大指次指之端去爪甲角如韭葉足陽明脈之所出也刺可入同身寸之一分留一呼若灸者可灸一壯內庭在足大指次指外間陷者中足陽明脈之所流也刺可入同身寸之三分留十呼。新校正云按甲乙經云留二十呼。若灸者可灸三壯陷谷在足大指次指外間本節後陷者中去內庭同身寸之二寸足陽明脈之所注也刺可入同身寸之五分留七呼若灸者可灸三壯衝陽在足跗上同身寸之五寸骨間動脈上去陷谷同身寸之三寸足陽明脈之所過也刺可入同身寸之三分留十呼若灸者可灸三壯解谿在衝陽後同身寸之二寸半。新校正云按甲乙經作一寸半刺灋注作三寸半素問三注不同當從甲乙經之說。腕上陷者中足陽明脉之所行也刺可入同身寸之五分留五呼若灸者可灸三壯三里在膝下同身寸之三寸䯒骨外廉兩筋肉分間足陽明脉之所入也刺可入同身寸之一寸留七呼若灸者可灸三壯肺之府大腸大腸之井者商陽也榮二間也俞三間也原合谷也經陽谿也合曲池也商陽在手大指次指內側去爪甲角如韭葉手陽明脉之所出也刺可入同身寸之一分留一呼若灸者可灸三壯二間在手大指次指本節前內側陷者中手陽明脉之所流也刺可入同身寸之三分留六呼若灸者可灸三壯三間在手大指次指本節內側陷者中手陽明脉之所注也刺可入同身寸之三分留三呼若灸者可灸三壯合谷在手大指次指歧骨之間手陽明脉之所過也刺可入同身寸之三分留六呼若灸者可灸三壯陽谿在腕中上側兩筋間陷者中手陽明脉之所行也刺可入同身寸之三分留七呼若灸者可灸三壯曲池在肘外輔屈肘兩骨之中手陽明脉之所入也以手拱胷取之刺可入同身寸之五分留七呼若灸者可灸三壯心之府小腸小腸之井者少澤也榮前谷也俞後谿也原腕骨也經陽谷也合少海也少澤在手小指之端去爪甲下同身寸之一分陷者中手太陽脉之所出也刺可入同身寸之一分留二呼若灸者可灸一壯前谷在手小指外側本節前陷者中手太陽脉之所流也刺可入同身寸之一分留三呼若灸

者可灸三壯後谿在手小指外側本節後陷者中手太陽脉之所注也刺可入同身寸之一分留二呼若灸者可灸一壯腕骨在手外側腕前起骨下陷者中手太陽脉之所過也刺可入同身寸之二分留三呼若灸者可灸三壯陽谷在手外側腕中鋭骨之下陷者中手太陽脉之所行也刺可入同身寸之二分留三呼○新校正云按甲乙經作二呼○若灸者可灸三壯少海在肘内大骨外去肘端同身寸之五分陷者中屈肘乃得之手太陽脉之所入也刺可入同身寸之二分留七呼若灸者可灸五壯心包之府三焦三焦之井者關衝也滎液門也俞中渚也原陽池也經支溝也合天井也關衝在手小指次指之端去爪甲角如韭葉手少陽脉之所出也刺可入同身寸之一分留三呼若灸者可灸三壯

液門在手小指次指間陷者中手少陽脉之所流也刺可入同身寸之二分留二呼若灸者可灸三壯中渚在手小指次指本節後間陷者中手少陽脉之所注也刺可入同身寸之二分留三呼若灸者可灸三壯陽池在手表腕上陷者中手少陽脉之所過也刺可入同身寸之二分留六呼若灸者可灸三壯支溝在腕後同身寸之三寸兩骨之間陷者中手少陽脉之所行也刺可入同身寸之二分留七呼若灸者可灸三壯天井在肘外大骨之後同身寸之一寸兩筋間陷者中屈肘得之手少陽脉之所入也刺可入同身寸之一寸留七呼若灸者可灸三壯腎之府膀胱膀胱之井者至陰也滎通谷也俞束骨也原京骨也經崑崙也合委中也至陰在足小指外側去爪甲角如韭葉足太陽脉之所出也刺

可入同身寸之一分留五呼若灸者可灸三壯通谷在小指外側本節前陷者中太陽脉之所流也刺可入同身寸之二分留五呼若灸者可灸三壯束骨在足小指外側本節後赤白肉際陷者中足太陽脉之所注也刺可入同身寸之三分留三呼若灸者可灸三壯京骨在足外側大骨下赤白肉際陷者中按而得之足太陽脉之所過也刺可入同身寸之三分留七呼若灸者可灸三壯崑崙在足外踝後跟骨上陷者中細脉動應手足太陽脉之所行也刺可入同身寸之五分留十呼若灸者可灸三壯委中在膕中央約文中動脉○新校正云詳委中穴與甲乙經及刺瘧篇注痺論注同又骨空論云在膝解之後曲脚之中背面取之又熱穴論注刺熱篇注云在足膝後屈處○足太陽脉之所入也刺可

入同身寸之五分留七呼若灸者可灸三壯如是六府之俞府各六穴則三十六俞以左右脉俱而言之則七十二穴熱俞五十九穴水俞五十七穴並具水熱論中。新校正云按熱俞又見刺熱篇注頭上五行行五五五二十五穴此亦熱俞之五十九穴也中膂兩傍各五凡十穴謂五藏之背俞也肺俞在第三椎下兩傍心俞在第五椎下兩傍肝俞在第九椎下兩傍脾俞在第十一椎下兩傍腎俞在第十四椎下兩傍此五藏俞者各俠脊相去同身寸之一寸半並足太陽脉之會刺可入同身寸之三分肝俞留六呼餘並留七呼若灸者可灸三壯俠脊數之則十穴也大椎上兩傍各一凡二穴今甲乙經經脉流注孔穴圖經並不載未詳何俞也○新校正云按大椎上傍無穴大椎下傍穴名大杼後有故王氏云未詳**目瞳子浮白二穴**瞳子髎在目外去眥同身寸之五分手太陽手足少陽三脉之會刺可入同身寸之三分若灸者可灸三壯浮白在耳後入髮際同身寸之一寸足太陽少陽二脉之會刺可入同身寸之三分若灸者可灸三壯左右言之各二爲四也**兩髀厭分中二穴**謂環銚穴也在髀樞後足少陽太陽二脉之會刺可入同身寸之一寸留二呼若灸者可灸三壯○新校正云按王氏云在髀樞後按甲乙經云在髀樞中後當作中灸三壯甲乙經作五壯**犢鼻二穴**在膝髕下䯒上俠解大筋中足陽明脉氣所發刺可入同身寸

黃帝素問卷八 三

之六分若灸者可灸三壯耳中多所聞二穴聽宮穴也在耳中珠子大如赤小豆手足少陽手太陽三脉之會刺可入同身寸之一分若灸者可灸三壯○新校正云按甲乙經云刺可入三分眉本二穴攢竹穴也在眉頭陷者中足太陽脉氣所發刺可入同身寸之三分留六呼若灸者可灸三壯完骨二穴在耳後入髮際同身寸之四分足太陽少陽之會刺可入同身寸之三分留七呼若灸者可灸三壯○新校正云刺可入三分灸七壯項中央一穴風府穴也在項上入髮際同身寸之一寸大筋內宛宛中督脉陽維二經之會疾言其肉立起言休其肉立下刺可入同身寸之四分留三呼灸之不幸使人瘖枕骨二穴竅陰穴也在完骨上

枕骨下搖動應手足太陽少陽之會刺可入同身寸之三分若灸者可灸三壯。新校正云按甲乙經云刺可入四分灸可五壯 **上關二穴** 鍼經所謂刺之則欸不能欠者也在耳前上廉起骨開口有空手少陽足陽明之會刺可入同身寸之三分留七呼若灸者可灸三壯刺深令人耳無所聞 **大迎二穴** 在曲頷前同身寸之一寸三分骨陷者中動脈足陽明脈氣所發刺可入同身寸之三分留七呼若灸者可灸三壯 **下關二穴** 鍼經所謂刺之則欠不能欸者也在上關下耳前動脈下廉合口有空張口而閉足陽明少陽二脈之會刺可入同身寸之三分留七呼若灸者可灸三壯耳中有乾擿之不得灸也。新校正云按甲乙經擿之作擿抵（擿）音擿（欸）丘庶反 **天柱**

二穴在俠項後髮際大筋外廉陷者中足太陽脉氣所發刺可入同身寸之二分留六呼若灸者可灸三壯巨虛上下廉四穴上廉足陽明與太陽合也在膝犢鼻下胻外廉同身寸之六寸足陽明脉氣所發刺可入同身寸之八分若灸者可灸三壯下廉足陽明與少陽合也在上廉下同身寸之三寸足陽明脉氣所發刺可入同身寸之三分若灸者可灸三壯○新校正云按甲乙經幷刺熱篇注水熱穴注上廉在三里下三寸此云犢鼻下六寸者蓋三里在犢鼻下三寸上廉又在三里下三寸故云六寸也曲牙二穴頰車穴也在耳下曲頰端陷者中開口有空足陽明脉氣所發刺可入同身寸之三分若灸者可灸三壯天突一穴已前釋也天府二

穴在掖下同身寸之三寸臂臑內廉動脉手太陰脉氣所發禁不可灸刺可入同身寸之四分留三呼臑奴到反天牖二穴在頸筋間缺盆上天容後天柱前完骨下髮際上手少陽脉氣所發刺可入同身寸之一寸留七呼灸者可灸三壯扶突二穴在頸當曲頰下同身寸之一寸人迎後手陽明脉氣所發仰而取之刺可入同身寸之四分若灸者可灸三壯天窻二穴在曲頰下扶突後動脉應手陷者中手太陽脉氣所發刺可入同身寸之六分若灸者可灸三壯肩解二穴謂肩井也在肩上陷解中缺盆上大骨前手足少陽陽維之會刺可入同身寸之五分若灸者可灸三壯○新校正云按甲乙經灸五壯關元一穴新校正云詳此巳前釋舊當篇

再注令去之**委陽二穴**三焦下輔俞也在膕中外廉兩筋間此足太陽之別絡刺可入同身寸之七分留五呼若灸者可灸三壯屈伸而取之**肩貞二穴**在肩曲甲下兩骨解間肩髃後陷者中手太陽脈氣所發刺可入同身寸之八分若灸者可灸三壯**瘖門一穴**在項髮際宛宛中入係舌本督脉陽維二經之會仰頭取之刺可入同身寸之四分不可灸之令人瘖○新校正云按氣府注云去風府一寸**齊一穴**齊中也禁不可刺刺之使人齊中惡瘍潰矢出者死不可治若灸者可灸三壯**胷俞十二穴**謂俞府或中神藏靈墟神封步廊左右則十二穴也俞府在巨骨下俠任脉兩傍橫去任脉各同身寸之二寸陷者中下五穴遞相去同身寸之一寸六

分陷者中並足少陰脉氣所發仰而取之刺可入同身寸之四分若灸者可灸五壯背俞二穴大杼穴也在脊第一椎下兩傍相去各同身寸之一寸半陷者中督脉別絡手足太陽三脉氣之會刺可入同身寸之三分留七呼若灸者可灸七壯膺俞十二穴謂雲門中府周榮胷鄉天谿食竇左右則十二穴也○新校正云按甲乙經作周榮胷鄉○雲門在巨骨下俠任脉傍橫去任脉各同身寸之六寸○新校正云按水熱穴注作胷中行兩傍與此文雖異處所無別陷者中動脉應手雲門中府相去同身寸之一寸餘五穴遞相去同身寸之一寸六分陷者中並手太陰脉氣所發雲門食竇舉臂取之餘並仰而取之雲門刺可入同身寸之七分大深令人逆息中府刺可入同身寸

之三分留五呼餘刺可入同身寸之四分若灸者可灸五壯○新校正云詳王氏以此十二穴并手太陰按甲乙經雲門乃手太陰中府乃手足太陰之會周榮已下乃足太陰非七二穴並手太陰也**分肉二穴**在足外踝上絶骨之端同身寸之三分筋肉分間陽維脉氣所發刺可入同身寸之三分留七呼若灸者可灸三壯○新校正云按甲乙經無分肉穴詳處所疑是陽輔在足外踝上輔骨前絶骨端如前三分所又按刺腰痛注作絶骨之端如後二分刺入五分留十呼與此注小異**踝上橫二穴**內踝上者交信穴也交信去內踝上同身寸之二寸少陰前太陰後筋骨間足陰蹻之郄刺可入同身寸之四分留五呼若灸者可灸三壯外踝上附陽穴也附陽去外踝上同身寸之

三寸太陽前少陽後筋骨間陽蹻之郄刺可入同身寸之六分留七呼若灸者可灸三壯〇新校正云按甲乙經附陽作付陽陰陽蹻四穴陰蹻穴在足內踝下是謂照海陰蹻所生刺可入同身寸之四分留六呼若灸者可灸三壯陽蹻穴是謂中脉陽蹻所生在外踝下陷者中〇新校正云按刺腰痛篇注作在外踝下五分繆刺論注云外踝下半寸〇容爪甲刺可入同身寸之三分留七呼若灸者可灸三壯〇新校正云按甲乙經留七呼作六呼刺腰痛篇注作十呼水俞在諸分分謂肉之分理間治水取之熱俞在氣穴寫熱則取之寒熱俞在兩骸厭中二穴骸厭謂膝外俠膝之骨厭中也大禁二十五在天府

下五寸謂五里穴也所以謂之大禁者謂其禁不可刺也鍼經曰迎之五里中道而上五至而已五往而藏之氣盡矣故五五二十五而竭其俞矣蓋謂此也又曰五里者尺澤之後五里與此文同凡三百六十五穴鍼之所由行也新校正云詳自藏俞五十至此并重複共得三百六十穴通前天突十椎上紀下紀共三百六十五穴除重複實有三百一十三穴帝曰余已知氣穴之處遊鍼之居願聞孫絡谿谷亦有所應乎孫絡小絡也謂絡之支別也岐伯曰孫絡三百六十五穴會亦以應一歲以溢奇邪以通榮衛榮衛稽留

衛散榮溢氣竭血著外爲發熱內爲少氣疾寫無怠以通榮衛見而寫之無問所會榮積衛留內外相薄者見其血絡當卽寫之亦無問其脉之俞會帝曰願聞谿谷之會也岐伯曰肉之大會爲谷肉之小會爲谿肉分之間谿谷之會以行榮衛以會大氣新校正云按甲乙經作以舍大氣邪溢氣壅脉熱肉敗榮衛不行必將爲膿內銷骨髓外破大膕熱過故致是留於節湊必將爲敗若留於骨節之間津液所湊之處則骨節之間

髓液皆潰爲膿故必敗爛筋骨而不得屈伸矣積寒留舍榮衛不居卷肉縮筋新校正云按全元起本作寒肉縮筋肋肘不得伸內爲骨痺外爲不仁命曰不足大寒留於谿谷也邪氣盛甚眞氣不榮髓液內消故爲是也不足謂陽氣不足也寒邪外薄久積淹留陽不外勝內消筋髓故曰不足大寒留於谿谷之中也谿谷三百六十五穴會亦應一歲其小痺淫溢循脉往來微鍼所及與法相同若小寒之氣流行淫溢隨脉往來爲痺病用鍼調者與常法相同爾帝乃辟左右而起再拜曰今日發蒙

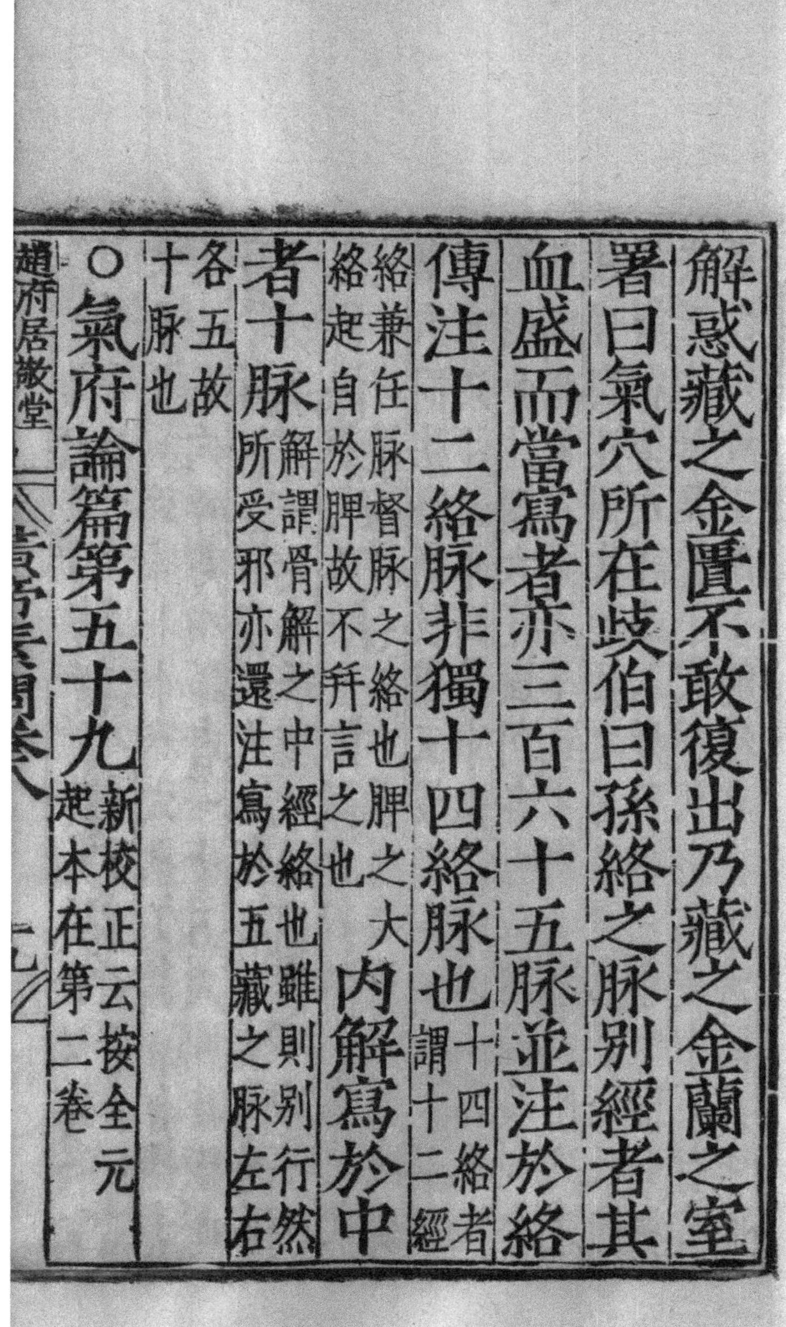

解惑藏之金匱不敢復出乃藏之金蘭之室署曰氣穴所在岐伯曰孫絡之脉别經者其血盛而當寫者亦三百六十五脉並注於絡傳注十二絡脉非獨十四絡脉也十四絡者謂十二經絡兼任脉督脉之絡也脾之大絡起自於脾故不并言之也内解寫於中者十脉解謂骨解之中經絡也雖則别行然所受邪亦還注寫於五藏之脉左右各五故十脉也

○氣府論篇第五十九新校正云按全元起本在第二卷

足太陽脉氣所發者七十八穴兼氣浮薄相通者言之當言九十三穴非七十八穴也正經脉會發者七十八穴浮薄相通者一十五穴則其數也

兩眉頭各一謂攢竹穴也所在刺灸分壯與氣穴同法入髮至項三寸半傍五相去三寸謂大杼風門各二穴也所在刺灸分壯與氣穴同法○新校正云按别本云入髮至項三寸又注云寸同身寸也諸寸同法與此注全别此注謂大杼風門各二穴所在灸刺分壯與此氣穴同法今氣穴篇中無風門穴而注言與注同法此注之非可見此非王氏之誤誤在後人詳此入髮至項三寸半傍五相去三寸蓋是說下文浮氣之在皮中五行行五之穴故王都不解釋直云寸爲同身寸也

但以頂誤作項剩半字耳所以言入髮至頂者自入髮顖會穴至頂百會凡三寸自百會後至後項又三寸故云入髮至頂三寸傍五者爲兼中行傍數有五行也相去三寸者蓋謂自百會頂中數左右前後各三寸有五行行五共二十五穴也後人誤將頂爲項以爲大杼風門此甚誤也况大杼在第一椎下兩傍風門又在第三椎下上去髮際非止三寸半也其誤甚明顖音信

其浮氣在皮中者凡五行行五五五二十五浮氣謂氣浮而通之可以去熱者也五行謂頭上自髮際中同身寸之二寸後至項之後者也二十五者其中行則顖會前頂百會後頂強間五督脈氣也次俠傍兩行則五處承光通天絡却玉枕各五本經氣也又次傍兩行則臨泣目窻正

營承靈腦空各五足少陽氣也兩傍四行各五則二十穴中行五則二十五也其次灸分壯與水熱穴同法

項中大筋兩傍各一謂天柱二穴也所在刺灸分壯與氣穴同法

風府兩傍各一謂風池二穴也刺灸分壯與氣穴同法○新校正云按甲乙經風池足少陽陽維之會非太陽之所發也經言風府兩傍乃天柱穴之分位此亦覆明上項中大筋兩傍穴也此注剩出風池二穴於九十三數外更剩前大杼風門及此風池六穴也

俠背以下至尻尾二十一節十五間各一十五間各一者今中誥孔穴圖經所存者十三穴左右共二十大謂附分魄戶神堂譩譆鬲關魂門陽綱意舍胃倉肓門志室胞肓秩邊十三也附分在

第二椎下附項内廉兩傍各相去俠脊同身寸之三寸足太陽之會刺可入同身寸之八分若灸者可灸五壯魄戶在第三椎下兩傍上直附分足太陽脉氣所發下十二穴並同正坐取之刺可入同身寸之五分若灸者如附分法神堂在第五椎下兩傍上直魄戶刺可入同身寸之三分灸同附分法譩譆在第六椎下兩傍上直神堂○新校正云按骨空論注云以手厭之令病人呼譩譆之聲則指下動矣○刺可入同身寸之六分留七呼灸如附分法鬲關在第七椎下兩傍上直譩譆正坐開肩取之刺可入同身寸之五分若灸者可灸三壯○新校正云按甲乙經云可灸五壯○魂門在第九椎下兩傍上直鬲關正坐取之刺灸分壯如鬲關法陽綱在第十椎下兩傍上直魂門正坐取之刺灸分壯如魂

門法意舍在第十一椎下兩傍上直陽綱正坐取之刺灸分壯如陽綱法胃倉在第十二椎下兩傍上直意舍刺灸分壯如意舍法肓門在第十三椎下兩傍上直胃倉刺同胃倉可灸三十壯○新校正云按肓門灸三十壯與甲乙經同水穴注作灸三壯○志室在第十四椎下兩傍上直肓門正坐取之刺灸分壯如魄戶法胞肓在第十九椎下兩傍上直志室伏而取之刺灸分壯如魄戶法○新校正云按志室胞肓灸如魄戶五壯甲乙經作三壯水穴注亦作三壯熱穴注志室亦作三壯秩邊在第二十一椎下兩傍上直胞肓伏而取之刺灸分壯如魄戶法譩譆上衣下喜

五藏之俞各五六府之俞各六肺俞在第三椎下兩傍俠脊相去各同身寸之一寸半刺可入同身

寸之三分留七呼若灸者可灸三壯心俞在第五椎下兩傍相去及刺如肺俞法留七呼肝俞在第九椎下兩傍相去及刺如心俞法留六呼脾俞在第十一椎下兩傍相去及刺如肝俞法留七呼腎俞在第十四椎下兩傍相去及刺如脾俞法留七呼膽俞在第十椎下兩傍相去及刺如肺俞法正坐取之刺可入同身寸之五分留七呼胃俞在第十二椎下兩傍相去及刺如脾俞法留七呼三焦俞在第十三椎下兩傍相去及刺如膽俞法大腸俞在第十六椎下兩傍相去及刺如肺俞法留六呼小腸俞在第十八椎下兩傍相去及刺如心俞法留六呼膀胱俞在第十九椎下兩傍相去及刺如腎俞法留六呼五藏六府之俞若灸者並可灸三壯。新校正云詳或者疑經中各五各六以各字爲誤者非也所以言各者謂左右各五各六非謂每藏府而各五各六也委中以下至足小指傍各六俞謂委中崑崙京骨束骨通谷至陰六穴也左右言之則十二俞也其所在刺灸如氣穴法經言脉氣所發者七十八穴今此所有兼亡者九十三穴由此則大數差錯傳寫有誤也○新校正云詳王氏云兼亡者九十三穴今兼大杼風門風池爲九十九穴以此王氏總數考之明知此三穴後之妄增也足少陽脉氣所發者六十二穴兩角上各二謂天衝曲鬢左右各二也天衝在耳上如前同身寸之三分足太陽少陽二脉之會刺可入同身寸之三分若灸者可灸三壯曲鬢在耳上入髮際曲陽陷者中鼓頷有空足太陽少陽二脉之會

刺灸分壯如天衝法

直目上髮際內各五謂臨泣目窗正營承靈腦空左右是也臨泣在直目上入髮際同身寸之五分足太陽少陽陽維三脈之會留七呼目窗在臨泣後同身寸之一寸正營在目窗後同身寸之一寸承靈在正營後同身寸之一寸半腦空在承靈後同身寸之一寸半俠枕骨後枕骨上並足少陽陽維二脈之會刺可入同身寸之四分餘並刺可入同身寸之三分若灸者並可灸五壯○新校正云按腦空在枕骨上枕骨上甲乙經作玉枕骨下

耳前角上各一謂頷厭二穴也在曲角下顳顬之上上廉手足少陽足陽明三脈之會刺可入同身寸之七分留七呼若灸者可灸三壯刺深令人耳無所聞顳仁涉反顬汝車反

耳前角下各一

謂懸釐二穴也在曲角上顳顬之下廉手足少陽陽明四脉之交會刺可入同身寸之三分留七呼若灸者可灸三壯○新校正云按後手少陽中云角上此云角下必有一誤

鬢髮下各一 謂和髎二穴也在耳前銳髮下横動脉手足少陽二脉之會刺可入同身寸之三分若灸者可灸三壯○新校正云按甲乙經云手足少陽手太陽之會

客主人各一 客主人穴名也在耳前上廉起骨開口有空手足少陽足陽明三脉之會刺可入同身寸之三分留七呼若灸者同灸三壯○新校正云按甲乙經及氣穴注刺禁注並云手少陽足陽明之會與此異

耳後陷中各一 謂翳風二穴也在耳後陷者中按之引耳中手足少陽二脉之會刺可入同身寸之三分若灸者可

灸三壯**下關各一**下關穴名也所在刺灸氣穴同法**耳下牙車之後各一**謂頰車三穴也刺灸分壯氣穴同法**缺盆各一**缺盆穴名也在肩上横骨陷者中足陽明脉氣所發刺可入同身寸之二分留七呼若灸者可灸三壯大深令人逆息○新校正云按骨空注作手陽明**掖下三寸脇下至胠八間各一**掖下三寸同身寸也掖下謂淵掖輒筋天池脇下至胠則日月章門帶脉五樞維道居髎九穴也左右共十八穴也淵掖在掖下同身寸之三寸足少陽脉氣所發舉臂得之刺可入同身寸之三分禁不可灸輒筋在掖下同身寸之三寸復前行同身寸之一寸搓脇○新校正云按甲乙經搓作着下同足少陽脉氣所發刺可入同

身寸之六分若灸者可灸三壯天池在乳後同身寸之二寸。新校正云按甲乙經作一寸掖下三寸搓脇直掖撅肋間手心主足少陽二脉之會刺可入同身寸之三分。新校正云按甲乙經作七分若灸者可灸三壯日月膽募也在第三肋端横直心蔽骨傍各同身寸之二寸五分上直兩乳。新校正云按甲乙經云日月在期門下五分。足太陰少陽二脉之會刺可入同身寸之七分若灸者可灸五壯章門脾募也在季肋端足厥陰少陽二脉之會側臥屈上足伸下足舉臂取之刺可入同身寸之八分留六呼若灸者可灸三壯帶脉在季肋下同身寸之一寸八分足少陽帶脉二經之會刺可入同身寸之六分若灸者可灸五壯五樞在帶脉下同身寸之三寸足少陽帶脉二經之會刺可入同身寸之一寸若灸者可灸五壯維道在章門下同身寸之五寸三分足少陽帶脉二經之會刺灸分壯如章門法居髎在章門下同身寸之四寸三分髂骨上○新校正云按甲乙經作監骨上陷者中陽蹻足少陽二脉之會刺灸分壯如維道法所以謂之八間者自掖下三寸至季肋凡八肋骨**髀樞中傍各一**謂環銚二穴也刺灸分壯氣穴同法○新校正云按氣穴論云兩髀厭分中王注爲環銚穴又甲乙經注環銚在髀樞中今云髀樞中傍各一者蓋謂此穴在髀樞中也傍各一者謂左右各一穴也非謂環銚在髀樞中傍也**膝以下至足小指次指各六俞**謂陽陵泉陽輔丘虛臨泣俠谿竅陰六穴也左右言之則十二俞也其所在刺灸分壯氣穴同法、足陽明脉氣所發者六十八穴額顱髮際傍各三謂懸顱陽白頭維左右共六穴也正面髮際橫行數之懸顱在曲角上顳顬之中足陽明脉氣所發刺入同身寸之三分留三呼若灸者可灸三壯陽白在眉上同身寸之一寸直瞳子足陽明陰維二脉之會刺可入同身寸之三分灸三壯頭維在額角髮際俠本神兩傍各同身寸之一寸五分足少陽陽明二脉之交會刺可入同身寸之五分禁不可灸○新校正云按甲乙經陽白足少陽陽維之會今王氏注云足陽明陰維之會詳此在足陽明脉氣所發中則足陽明近是然陽明經不到此又不與陰維會疑王注非甲乙經爲得矣面鼽骨空各一謂四白穴也在目下同身寸之一寸足陽明脉

氣所發刺可入同身寸之四分不可灸。新校正云按甲乙經刺可入三分灸七壯**大迎之骨空各一**大迎穴名也在曲頷前同身寸之一寸三分骨陷者中動脉足陽明脉氣所發刺可入同身寸之三分留七呼若灸者可灸三壯**人迎各一**人迎穴名也在頸俠結喉傍大脉動應手足陽明脉氣所發刺可入同身寸之四分過深殺人禁不可灸**缺盆外骨空各一**謂天髎二穴也在肩缺盆中上伏骨之陬陷者中手足少陽陽維三脉之會刺可入同身寸之八分若灸者可灸三壯。新校正云按甲乙經伏骨作髲骨髲音秘**膺中骨間各一**謂膺窻等六穴也膺窻在胷兩傍俠中行各相去同身寸之四寸巨骨下同身寸之四寸八分陷者中足陽明脉氣所發仰而取之刺可入同身寸之四分若灸者可灸五壯此穴之上又有氣戶庫房屋翳下又有乳中乳根氣戶在巨骨下下直膺窻去膺窻上同身寸之四寸八分庫房在氣戶下同身寸之一寸六分屋翳在氣戶下同身寸之三寸二分下卽膺窻也膺窻之下卽乳中也乳中穴下同身寸之一寸六分䐗者中則乳根穴也並足陽明脉氣所發仰而取之乳中禁不可灸刺灸刺之不幸生蝕瘡瘡中有清汁膿血者可治瘡中有瘜肉若蝕瘡者死餘五穴並刺可入同身寸之四分若灸者可灸三壯。新校正云按甲乙經灸五壯

俠鳩尾之外當乳下三寸俠胃脘各五

謂不容承滿梁門關門太一五穴也左右共一寸也俠腹中行兩傍相去各同身寸之四

寸。新校正云按甲乙經云各二寸疑此注剩各字。不容在第四肋端下至太一各上下相去同身寸之一寸並足陽明脉氣所發刺可入同身寸之八分若灸者可灸三壯。新校正云按甲乙經不容刺入五分此云並入八分疑此注誤**俠齊廣三寸各三**廣謂去齊橫廣也廣三寸者各如大一之遠近也各三者謂滑肉門天樞外陵也滑肉門下同身寸之一寸正當於齊外陵在天樞下同身寸之一寸並足陽明脉氣所發天樞刺可入同身寸之五分留七呼滑肉門外陵各刺可入同身寸之八分若灸者並可五壯。新校正云按甲乙經天樞在齊傍各二寸上曰滑肉門下曰外陵是三穴者去齊各三寸也今此經注云廣三寸素問甲乙經不同然甲乙經分寸與諸書同特此經爲巽也下齊二寸俠之各三下齊二寸則外陵下同身寸之一寸大巨穴也各三者謂大巨水道歸來也大巨在外陵下同身寸之一寸足陽明脉氣所發刺可入同身寸之八分若灸者可灸五壯水道在大巨下同身寸之三寸足陽明脉氣所發刺可入同身寸之二寸半若灸者可灸五壯歸來在水道下同身寸之二寸刺可入同身寸之八分若灸者可灸五壯氣街動脉各一氣街穴名也在歸來下鼠鼷上同身寸之一寸脉動應手足陽明脉氣所發刺可入同身寸之三分留七呼若灸者可灸三壯○新校正云詳此注與甲乙經同刺熱注及熱穴注云氣街在腹臍下橫骨兩端鼠鼷上刺禁論注在腹下俠臍兩傍相去四寸鼠僕上骨空注云在毛際兩傍鼠鼷上諸注

不同今備錄之**伏菟上各一**謂髀關二穴也在膝上伏菟後交分中刺可入同身寸之六分若灸者可灸三壯**三里以下至足中指各八俞分之所在穴空**謂三里上廉下廉解谿衝陽陷谷內庭厲兌八穴也左右言之則十六俞也上廉足陽明與大腸合下廉足陽明與小腸合其所在刺灸分壯與氣穴同法所謂分之所在穴空者足陽明脉自三里穴分而下行其直者循䯒過跗入中指出其端則厲兌也其支者與直俱行至足跗上入中指次間故云分之所在穴空也之徃也言分而各行徃指間穴空處也**手太陽脉氣所發者三十六穴目內眥各一**謂睛明二穴也在目內眥手足太陽足陽明陰

蹻陽蹻五脉之會刺可入同身寸之一分留六呼若炙者可炙三壯諸穴有云數脉會發而不於所會刺脉下言之者出從其正者也**目外各一**謂瞳子髎二穴也在目外去眥同身寸之五分手太陽手足少陽三脉之會刺可入同身寸之三分若炙者可炙三壯**鼽骨下各一**謂顴髎二穴也鼽頄也頄面顴也在面頄骨下陷者中手太陽少陽二脉之會刺可入同身寸之三分頄音仇**耳郭上各一**謂角係二穴也在耳上郭表之中間上髮際之下開口有空手太陽手足少陽三脉之會刺可入同身寸之三分若炙者可炙三壯。新校正云按甲乙經手太陽作手陽明**耳中各一**謂聽宮二穴也所在刺炙分壯與氣穴同法**巨骨穴各一**巨骨穴名也在肩端上行兩义骨間陷者中手陽明蹻脉二經之會刺可入同身寸之一寸半若灸者可灸三壯。新校正云按甲乙經作五壯。曲掖上骨穴各一謂臑俞二穴也在肩臑後大骨下胛上廉陷者中手太陽陽維蹻脉三經之會舉臂取之刺可入同身寸之八分若灸者可灸三壯。新校正云按甲乙經作手足太陽。柱骨上陷者各一謂肩井二穴也在肩上陷解中缺盆上大骨前手足少陽陽維三脉之會刺可入同身寸之五分若灸者可灸三壯上天窻四寸各一謂天窻竅陰四穴也所在刺灸分壯與氣穴同法肩解各一謂秉風二穴也在肩上小髃骨後舉臂有空手太陽陽明手足少陽四脉之會舉臂取之刺可入同身寸之五分若炙者可炙三壯。新校正云按甲乙經炙五壯。**肩解下三寸各一**謂天宗二穴也在秉風後大骨下腤者中手太陽脉氣所發刺可入同身寸之五分留六呼若炙者可炙三壯**肘以下至手小指本各六俞**六俞所起於指端經言至小指本則以端爲本言上之本也下文陽明之陽同也六俞謂小海陽谷腕骨後谿前谷少澤六穴也左右言之則十二俞也其所在刺炙分壯氣穴同法。新校正云按此手太陽陽明少陽三經各言至手某指本王注以端爲本者非也詳手三陽之井穴盡出手某指之端爪甲下際此言本者是逐指爪甲之本也又安得以端爲本哉**手陽明脉氣所發者二十二穴鼻空外廉**

項上各二謂迎香扶突各二穴也迎香在鼻下孔傍手足陽明二脉之會刺可入同身寸之三分扶突在曲頰下同身寸之二寸人迎後手陽明脉氣所發仰而取之刺可入同身寸之四分若灸者可灸三壯大迎骨空各一大迎穴名也在曲頷前同身寸之一寸三分骨陷者中動脉足陽明脉氣所發刺可入同身寸之三分留七呼若灸者可灸三壯○新校正云詳大迎穴已見前足陽明經中今又見於此王氏不注所以當如顴髎穴兩出之義柱骨之會各一謂天鼎二穴也在頸缺盆上直扶突氣舍後同身寸之半寸手陽明脉氣所發刺可入同身寸之四分若灸者可灸三壯○新校正云按甲乙經作一寸半髃骨之會各一謂肩髃二穴也

所在刺灸分壯與氣穴同法○新校正云按髃骨氣穴注中無刺熱注水熱穴注骨空論注中有之肘以下至手大指次指本各六俞謂三里陽谿合谷三間二間商陽六穴也左右言之則十二俞也所在刺灸分壯與氣穴同法○新校正云按氣穴論注有曲池而無三里曲池手陽明之合也此誤出三里而遺曲池也手少陽脉氣所發者三十二穴鼽骨下各下謂顴髎二穴也所在刺灸分壯與手少陽脉同法此穴中手少陽太陽脉氣俱會於中等無優劣故重說於此下有者同眉後各一謂絲竹空二穴也在眉後陷者中手少陽脉氣所發刺可入同身寸之三分留六呼不可灸灸之不幸使人目小及盲○新校

正云按甲乙經手少陽作足少陽留六呼作三呼**角上各一**謂懸釐二穴也此與足少陽脈中同以是二脈之會也○新校正云按足少陽脈中言角下此云角上疑此誤**下完骨後各一**謂天牖二穴也所在刺灸分壯與氣穴同**項中足太陽之前各一**謂風池二穴也在耳後陷者中按之引於耳中手足少陽脈之會刺可入同身寸之四分若灸者可灸三壯○新校正云按甲乙經在顳顬後髮際足少陽陽維之會刺可入三分**俠扶突各一**謂天窻二穴也在曲頰下扶突後動脈應手陷者中手太陽脈氣所發刺可入同身寸之六分若灸者可灸三壯**肩貞各一**肩貞穴名也在肩曲胛下兩骨解間肩髃後陷者中手太陽脈氣所

發刺可入同身寸之八分若灸者可灸三壯肩貞下三寸分間各一謂肩髎臑會消濼各二穴也其穴各在肉分間也肩髎在肩端臑上斜舉臂取之手少陽脈氣所發刺可入同身寸之七分若灸者可灸三壯臑會在臂前廉去肩端同身寸之三寸手陽明少陽二絡氣之會刺可入同身寸之五分灸者可灸五壯消濼在肩下臂外關掖斜肘分下行間手少陽脈之會刺可入同身寸之五分若灸者可灸三壯肘以下至手小指次指本各六俞謂天井支溝陽池中渚液門關衝六穴也左右言之則十二俞也所在刺灸分壯與氣穴同法督脈氣所發者二十八穴今少一穴○新校正云按會陽二穴爲二十九穴乃剩一

穴非少也少當作剩字**項中央二**是謂風府瘖門二穴也悉在項中餘一穴今亡風府在項上入髮際同身寸之一寸大筋內宛宛中督脈陽維之會刺可入同身寸之四分留三呼不可灸灸之不幸令人瘖瘖門在項髮際宛宛中去風府同身寸之一寸督脈陽維二經之會仰頭取之刺可入同身寸之四分禁不可灸灸之令人瘖○新校正云按王氏云風府瘖門悉在項中餘一穴今亡者非謂北二十八穴中亡一穴也王氏蓋見氣穴論大椎上兩傍各一穴亦在**髮際**項之穴也今亡故云餘一穴今亡也**髮際後中八**謂神庭上星顖會前項百會後項強間腦戶八穴也其正髮際之中也神庭在髮際直鼻督脈足太陽陽明脈三經之會禁不可刺若刺之令人巔疾目失睛若灸

者可灸三壯上星在顱上直鼻中央入髮際同身寸之一寸陷者中容豆顖會在上星後同身寸之一寸陷者中前頂在顖會後同身寸之一寸五分骨間陷者中百會在前頂後同身寸之一寸五分頂中央旋毛中陷容指督脉足太陽之交會後頂在百會後同身寸之一寸五分強間在後頂後同身寸之一寸五分腦戶在強間後同身寸之一寸五分督脉足太陽之會不可灸此入者並督脉氣所發也上星百會強間腦戶各刺可入同身寸之三分上星留六呼腦戶留三呼餘並刺可入同身寸之四分若灸者可灸五壯○新校正云按甲乙經腦戶不可灸骨空論注云不可妄灸

面中三謂素髎水溝齗交三穴也素髎在鼻柱上端督脉氣所發刺可入同身寸之三分水溝在鼻柱下人中直脣取之

之督脉手陽明之會刺可入同身寸之三分留六呼若灸者可灸三壯斷交在唇內齒上斷縫督脉任脉二經之會可逆刺之入同身寸之三分若灸者可灸三壯此三者正居面左右之中也**大椎以下至尻尾及傍十五穴**脊椎之間有大椎陶道身柱神道靈臺至陽筋縮中樞脊中懸樞命門陽關腰俞長強會陽十五俞也大椎在第一椎上陷者中三陽督脉之會陶道在項大椎節下間督脉足太陽之會俛而取之身柱在第二椎節下間俛而取之神道在第五椎節下間俛而取之靈臺在第六椎節下間俛而取之至陽在第七椎節下間俛而取之筋縮在第九椎節下間俛而取之中樞在第十椎節下間俛而取之脊中在第十一椎節下間俛而取之禁不可灸令人僂

懸樞在第十三椎節下間伏而取之命門在第十四椎節下間伏而取之陽關在第十六椎節下間坐而取之腰俞在第二十一椎節下間長強在脊骶端督脉别絡少陰二脉所結會陽穴在陰尾骨兩傍凡此十五者並督脉氣所發腰俞長強各刺可入同身寸之二分。新校正云按甲乙經作二寸水穴論注作二分腰俞穴繆刺論注作二寸熱穴注作二寸刺熱注作二分諸注不同雖甲乙經作二寸疑大深與其失之深不若失之淺宜作二分之說。留七呼懸樞刺可入同身寸之三分會陽刺可入同身寸之八分餘並刺可入同身寸之五分陶道神道各留五呼陶道身柱神道筋縮可灸五壯大椎可九壯餘並可三壯。新校正云按甲乙經無靈臺中樞陽關三陽至骶下凡二十一節脊椎法也通項骨三節即二十四節任脉之氣所發者二十八穴今少一穴喉中央二謂廉泉天突二穴也廉泉在頷下結喉上舌本下陰維任脉之會刺可入同身寸之三分留三呼若灸者可灸三壯天突在頸結喉下同身寸之四寸中央宛宛中陰維任脉之會低鍼取之刺可入同身寸之一寸留七呼若灸者可灸三壯膺中骨陷中各一謂璇璣華蓋紫宮玉堂膻中中庭六穴也璇璣在天突下同身寸之一寸華蓋在璇璣下同身寸之一寸紫宮玉堂膻中中庭各相去同身寸之一寸六分陷者中並任脉氣所發仰而取之各刺可入同身寸之三分若灸者可灸五壯鳩尾下三寸胃脘五寸胃

脘以下至横骨六寸半一新校正云詳一字疑誤腹脉法也鳩尾心前穴名也其正當心蔽骨之端言其骨垂下如鳩鳥尾形故以爲名也鳩尾下有鳩尾巨闕上脘中脘建里下脘水分齊中陰交脖胦丹田關元中極曲骨十四俞也鳩尾在臆前蔽骨下同身寸之五分任脉之别不可灸刺人無蔽骨者從歧骨際下行同身寸之一寸。新校正云按甲乙經云一寸半爲鳩尾處也下次巨闕上脘中脘建里下脘水分遞相去同身寸之一寸上脘則足陽明手太陽之會中脘則手太陽少陽足陽明三脉所生也齊中禁不可刺若刺之使人齊中惡瘍潰矢出者死不治陰交在齊下同身寸之一寸任脉陰衝之會脖胦在齊下同身寸之一寸半丹田三焦募也在齊下同身寸之二寸關元小腸募也在齊下同身寸之三寸足三陰任脉之會也中極在關元下一寸足三陰之會也曲骨在橫骨上中極下同身寸之一寸足厥陰之會凡此十四者並任脉氣所發建里丹田並刺可入同身寸之六分留七呼。新校正云按甲乙經作五分十呼。上脘陰交並刺可入同身寸之八分下脘水分並刺可入同身寸之一寸中脘脖胦並刺可入同身寸之一寸二分曲骨刺可入同身寸之一寸半留七呼餘並刺可入同身寸之一寸二分若灸者關元中脘各可灸七壯齊中中極曲骨各三壯餘並可五壯自鳩尾下至陰間並任脉主之腹脉法也。新校正云據此注云餘並刺入一寸二分關元在中與甲乙經及氣穴骨空注刺入二寸不同當從甲乙經之寸數

下陰別一

謂會陰一穴也自曲骨下至陰陰之下兩陰之間則此穴也是任脉別絡俠督脉者衝脉之會故曰下陰別一也刺可入同身寸之二寸留七呼若灸者可灸三壯○新校正云按甲乙經七呼作三呼 目下各一 謂承泣二穴也在目下同身寸之七分上直瞳子陽蹻任脉足陽明三經之會刺可入同身寸之三分不可灸 下脣一 謂承漿穴也在頤前下脣之下足陽明脉任脉之會開口取之刺可入同身寸之二分留五呼若灸者可灸三壯○新校正云按甲乙經作六呼 齗交一 齗交穴名也所在刺灸分壯與脉法同 衝脉氣所發者二十二穴俠鳩尾外各半寸至齊寸一 謂幽門通谷陰都石關商曲肓俞六穴左右則十二

穴也幽門俠巨闕兩傍相去各同身寸之半寸陷者中下五穴各相去同身寸之一寸並衝脉足少陰二經之會各刺可入同身寸之一寸若灸者可灸五壯○新校正云按此云各刺入二寸按甲乙經云幽門通谷刺入五分**俠齊下傍各五分至橫骨寸一腹脉法也**謂中注髓府胞門陰關下極五穴左右則十穴也中注在肓俞下同身寸之五分上直幽門下四穴各相去同身寸之一寸並衝脉足少陰二經之會各刺可入同身寸之一寸若灸者可灸五壯**足少陰舌下厥陰毛中急脉各一**足少陰舌下二穴在人迎前陷中動脉前是日月本左右二也足少陰脉氣所發刺可入同身寸之四分急脉在陰髦中陰上兩傍相去同身

寸之二寸半按之隱指堅然甚按則痛引上下也其左者中寒則上引少腹下引陰丸善爲痛爲小腹急中寒此兩脉皆厥陰之大絡通行其中故曰厥陰急脉即睾之系也可灸而不可刺病疝少腹痛即可灸○新校正云詳舌下毛中之穴甲乙經無

手少陰各一謂手少陰郄穴也在腕後同身寸之半寸手少陰郄也刺可入同身寸之三分若灸者可灸三壯左右二也

陰陽蹻各一陰蹻一謂交信穴也交信在足內踝上同身寸之二寸少陰前太陰後筋骨間陰蹻之郄刺可入同身寸之四分留五呼若灸者可灸三壯陽蹻一謂附陽穴也附陽在足外踝上同身寸之三寸太陽前少陽後筋骨間謹取之陽蹻之郄刺可入同身寸之六分留七呼若灸者可灸三壯左右四也

手足諸魚際脉氣所發者凡三百六十五穴

也經之所存者多凡一十九穴此所謂氣府也然散穴俞諸經脉部分皆有之故經或不言而甲乙經經脉流注多少不同者以此

○骨空論篇第六十新校正云按全元起本在第二卷自灸寒熱之法已下在第六卷刺齊篇末

黃帝問曰余聞風者百病之始也以鍼治之奈何始初也岐伯對曰風從外入令人振寒汗出頭痛身重惡寒風中身形則腠理閉密陽氣內拒寒復外勝勝拒相

（薄榮衛失所故如是）治在風府（風府穴也在項上入髮際同身寸之一寸宛宛中督脉足太陽之會刺可入同身寸之四分若灸者可灸五壯○新校正云按風府注氣穴論氣府論中各已注與甲乙經同此注云督脉足太陽之會可灸五壯者乃是風門熱府穴也當云督脉陽維之會留三呼不可灸乃是）調其陰陽不足則補有餘則寫（用鍼之道必法天常盛寫虛補此其常也）大風頸項痛刺風府風府在上椎（上椎謂大椎上入髮際同身寸之一寸）大風汗出灸譩譆譩譆在背下俠脊傍三寸所厭之令病者呼譩譆譩譆應手（譩譆穴也在肩膊內）

廉俠第六椎下兩傍各同身寸之三寸以手厭之令病人呼譩譆之聲則指下動矣足太陽脉氣所發刺可入同身寸之六分留七呼若灸者可灸五壯譩譆者因取爲名爾膞音博**從風憎風刺眉頭**謂攢竹穴也在眉頭陷者中脉動應手足太陽脉氣所發刺可入同身寸之三分若灸者可灸三壯**失枕在肩上橫骨間**謂缺盆穴也在肩上橫骨陷者中手陽明脉氣所發刺可入同身寸之二分留七呼若灸者可灸三壯刺入深令人逆息○新校正云按氣府注作足陽明此云手陽明詳二經俱發於此故王注兩言之**折使揄臂齊肘正灸脊中**揄讀爲搖搖謂搖動也然失枕非獨取肩上橫骨間亦當正形灸脊中也欲而驗之則使搖動

其臂屈折其肘自項之下橫齊肘端當其中間則其處也是曰陽關在第十六椎節下間督脉氣所發刺可入同身寸之五分若灸者可灸三壯○新校正云詳陽關穴甲乙經無

眇絡季脇引少腹而痛脹刺譩譆眇謂俠脊兩傍空軟處也少腹齊下也腰痛不可以轉搖急引陰卵刺八髎與痛上八髎在腰尻分間八或為九驗真骨及中誥孔穴經止有八髎無九髎也分謂腰尻筋肉分間陷下處鼠瘻寒熱還刺寒府寒府在附膝外解營膝外骨間也屈伸之處寒氣喜中故名寒府也解謂骨解營謂深刺而必中其營也取膝上外者使之拜取

足心者使之跪拜而取者使膝外空開也跪而取之者令足心宛宛處深定也任脈者起於中極之下以上毛際循腹裏上關元至咽喉上頤循面入目新校正云按難經甲乙經無上頤循面入目六字衝脈者起於氣街並少陰之經新校正云按難經甲乙經作陽明俠齊上行至胷中而散任脈衝脈者奇經也任脈當齊中而上行衝脈俠齊兩傍而上行然中極者謂齊下同身寸之四寸也言中極之下者言中極從少腹之內上行而外出於毛際而上非謂本起於此也關元者謂齊下同身寸之三寸也氣街者穴名也在毛際兩傍鼠鼷上同身寸之一寸也

言衝脉起於氣街者亦從少腹之内與任脉並行而至於是乃循腹也何以言之鍼經曰衝脉者十二經之海與少陰之絡起於腎下出於氣街又曰衝脉任脉者皆起於胞中上循脊裏爲經絡之海其浮而外者循腹各行會於咽喉別而絡脣口血氣盛則皮膚熱血獨盛則滲灌皮膚生毫毛由此言之則任脉衝脉從少腹之内上行至中極之下氣街之内明矣○新校正云按氣街與氣府論刺熱篇水熱穴篇刺禁論等注重文雖不同處所無別備注氣府論中

任脉爲病男子内結七疝女子帶下瘕聚衝脉爲病逆氣裏急督脉爲病脊強反折督脉亦奇經也然任脉衝脉督脉者一源而三歧也故經或謂衝脉爲督脉也

何以明之今甲乙及古經脉流注圖經以任脉循背者謂之督脉自少腹直上者謂之任脉亦謂之督脉是則以背腹陰陽别爲名目爾以任脉自胞上過帶脉貫齊而上故男子爲病内結七疝女子爲病則帶下瘕聚也以衝脉侠齊而上並少陰之經上至胷中故衝脉爲病則逆氣裏急也以督脉上循脊裏故督脉爲病則脊强反折也

督脉者起於少腹以下骨中央女子入繫廷孔起非初起亦猶任脉衝脉起於胞中也其實乃起於腎下至於少腹則下行於腰横骨圍之中央也繫廷孔者謂窌漏近所謂前陰穴也以其陰廷繫屬於中故名之其孔溺孔之端也孔則窌漏也窌漏之中其上有溺孔焉端謂陰廷在此溺孔之上端也而

脊脉自骨圍中央則至於是其絡循陰器合篡間繞篡後督脉別絡自溺孔之端分而各行下循陰器乃合篡間也所謂間者謂前陰後陰之兩間也自兩間之後已復分而行繞篡之後別繞臀至少陰與巨陽中絡者合少陰上股內後廉貫脊屬腎別謂別絡分而各行之於焦也足少陰之絡者自股內後廉貫脊屬腎足太陽絡之外行者循髀樞絡股陽而下其中行者下貫臀至膕中與外行絡合故言至少陰與巨陽中絡合少陰上股內後廉貫脊屬腎也○新校正云詳各行於焦疑焦字誤與太陽起於目內眥上額交巔上入絡腦還出別下項循

肩髆內俠脊抵腰中入循膂絡腎挾繞臀而上行也其男子循莖下至篡與女子等其少腹直上者貫齊中央上貫心入喉上頤環脣上繫兩目之下中央自與太陽起於目內眥下至女子等並督脈之別絡也其直行者自尻上循脊裏而至於鼻人也自其少腹直上至兩目之下中央並任脈之行而云是督脈所繫由此言之則任脈衝脈督脈名異而同一體也此生病從少腹上衝心而痛不得前後為衝疝尋此生病正是任脈經云為衝疝者正明督脈以別主而異目也何者若一脈一氣而無陰陽之異主則此生病者

當心背俱痛豈獨其女子不孕癃痔遺溺嗌衝心而爲疝乎乾亦以衝脉任脉並自少腹上至於咽喉又以督脉循陰器合篡間繞篡後別繞臀故不孕癃痔遺溺嗌乾也所以謂之任脉者女子得之以任養也故經云此病其女子不孕也所以謂之衝脉者以其氣上衝也故經云此生病從少腹上衝心而痛也所以謂之督脉者以其督領經脉之海也由此三用故一源三岐經或通呼似相謬引故下文曰督脉生病治督脉治在骨上甚者在齊下營此亦正任脉之分也衝任督三脉異名同體亦明矣骨上謂腰橫骨上髦際中曲骨穴也任脉足厥陰之會刺可入同身寸之一寸半若灸者可灸三壯齊下謂齊直下同身寸之一寸

陰交穴任脉陰衝之會刺可入同身寸之八分若灸者可灸五壯其上氣有音者治其喉中央在缺盆中者中謂缺盆兩間之中天突穴在頸結喉下同身寸之四寸中央宛宛中陰維任脉之會低鍼取之刺可入同身寸之一寸留七呼若灸者可灸三壯其病上衝喉者治其漸漸者上侠頤也陽明之脉漸上頤而環脣故以侠頤名爲漸也是謂大迎大迎在曲頷前骨同身寸之一寸三分陷中動脉足陽明脉氣所發刺可入同身寸之三分留七呼若灸者可灸三壯蹇膝伸不屈治其楗蹇膝謂膝痛屈伸蹇難也楗謂髀輔骨上横骨下股外之中側立搖動取之筋動應手楗音健坐而膝痛

治其機髖骨兩傍相接處立而暑解治其骸關暑熱也若膝痛立而膝骨解中熱者治其骸關骸關謂膝解也一經云起而引解言膝痛起立痛引膝骨解之中也暑引二字其義則異起立二字其意頗同膝痛痛及拇指治其膕膕謂膝解之後曲脚之中委中穴背面取之脉動應手足太陽脉之所入刺可入同身寸之五分留七呼若炙者可炙三壯坐而膝痛如物隱者治其關關在膕上當楗之後背立按之以動搖筋應手膝痛不可屈伸治其背内謂大杼穴也所在炙刺分壯與氣穴同法連胻若折治陽明中俞髎若膝痛不可屈伸連胻痛如折者則鍼陽明脉中俞

髎也是則正取三里穴也若別治巨陽少陰榮若痛而膝如别離者則治足太陽少陰之榮也足太陽榮通谷也在足小指外側本節前陷者中刺可入同身寸之二分留五呼若灸者可灸三壯足少陰榮然谷也在足內踝前起大骨下陷者中刺可入同身寸之三分留三呼若灸者可灸三壯淫濼脛痠不能久立治少陽之維新校正云按甲乙經外踝上五寸乃足少陽之絡此云維者字之誤也在外上五寸淫濼謂似酸痛而無力也五寸一云四寸中誥圖經外踝上四寸無穴五寸是光明穴也足少陽之絡刺可入同身寸之七分留十呼若灸者可灸五壯○新校正云按甲乙經云刺入六分留七呼輔骨上橫骨下

爲楗俠髖爲機膝解爲骸關俠膝之骨爲連骸骸下爲輔輔上爲膕膕上爲關頭橫骨爲枕由是則謂膝輔骨上腰髖骨下爲楗楗上爲機膝外爲骸關楗後爲關關下爲膕膕下爲輔骨輔骨上爲連骸連骸者是骸骨相連接處也頭上之橫骨爲枕骨水俞五十七穴者尻上五行行五伏菟上兩行行五左右各一行行五踝上各一行行六穴所在刺灸分壯具水熱穴論中此皆是骨空故氣穴篇內與此重言爾髓空在腦後五分在顱際銳骨之下是謂風府通腦中逆一在齗

基下當頤下骨陷中有穴容豆中誥圖經名下頤齗音銀一在項後中

復骨下謂瘖門穴也在項髮際宛宛中入系舌本督脉陽維之會仰頭取之刺可

入同身寸之四分禁不可灸一在脊骨上空在風府上上謂

腦戶穴也在枕骨上大羽後同身寸之一寸五分宛宛中督脉足太陽之會此別腦之戶

不可妄灸灸之不幸令人瘖刺可入同身寸之三分留三呼。新校正云按甲乙經大羽

者強間之別名氣府注云若灸者可灸五壯脊骨下空在尻骨下

空不應主療經闕其名。新校正云按甲乙經長強在脊骶端正在尻骨下王氏云不

應主療經闕其名得非誤乎數髓空在面俠鼻謂顴髎等穴經不二

指陳其處小小者爾或骨空在口下當兩肩謂大迎穴也所在刺灸分壯與前俠頤同法兩髆骨空在髆中之陽近有髃穴經無名臂骨空在臂陽去踝四寸兩骨空之間在支溝上同身寸之一寸是謂通間○新校正云按甲乙經支溝上一寸名三陽絡通間豈其別名歟股骨上空在股陽出上膝四寸在陰市中伏菟穴下在承楗也骭骨空在輔骨之上端謂犢鼻穴也在膝髕下骭骨上俠解大筋中足陽明脈氣所發刺可入同身寸六分灸者可灸三壯股際骨空在毛中動下經闕其名尻骨空在髀骨之後相

去四寸是謂尻骨上八髎穴也扁骨有滲理湊無髓孔易髓無空扁骨謂尻間扁戾骨也其骨上有滲灌文理歸湊之無別髓孔也易亦也骨有空則髓有孔骨若無孔髓亦無孔也灸寒熱之法先灸項大椎以年爲壯數如患人之年數次灸撅骨以年爲壯數尾窮謂之撅骨視背俞陷者灸之背胛骨際有陷處也舉臂肩上陷者灸之肩髃穴也有肩端兩骨間手陽明蹻脉之會刺可入同身寸之六分留六呼若灸者可灸三壯也兩季脇之間灸之京門穴腎募也在髂骨與腰中季脇本俠脊刺可入同身寸之三分留七呼若灸者可灸三壯

外踝上絶骨之端灸之陽輔穴也在足外踝上輔骨前絶骨之端如前同身寸之三分所去丘虛七寸足少陽脉之所行也刺可入同身寸之五分留七呼若灸者可灸三壯○新校正云按甲乙經云在外踝上四寸足小指次指間灸之夾谿穴也在足小指次指岐骨間本節前陷者中足少陽脉之所流也刺可入同身寸之三分留三呼若灸者可灸三壯○新校正云按甲乙經流當作留字腨下陷脉灸之承筋穴也在腨中央陷者中足太陽脉氣所發也禁不可刺可灸三壯○新校正云按刺腰痛篇注云腨中央如外陷者中外踝後灸之崑崙穴也在足外踝後跟骨上陷者中細脉動應手足太陽脉之所行也刺可入同身寸

之五分留十呼若灸者可灸三壯鈌盆骨上切之堅動如筋者灸之經闕其名當隨其所有而灸之膺中陷骨間灸之天突穴也所在灸刺分壯與前鈌盆中者同法掌束骨下灸之陽池穴也在手表腕上陷者中手少陽脉之所過也刺可入同身寸之二分留六呼若灸者可灸三壯齊下關元三寸灸之正在齊下同身寸之三寸足三陰任脉之會刺可入同身寸之二寸留七呼若灸者灸七壯○新校正云按氣府注云刺可入一寸二分者非毛際動脉灸之以脉動應手爲處即氣街穴也膝下三寸分間灸之三里穴也在膝下同身寸之三寸胻骨外廉兩筋肉分間足陽明脉

之所入也刺可入同身寸之一寸留七呼灸者可灸三壯足陽明跗上動脈灸之衝陽穴也在足跗上同身寸之五寸骨間動脈足陽明脈之所過也刺可入同身寸之三分留七呼若灸者可灸三壯○新校正云按甲乙經及全元起本足陽明下有灸之二字并跗上動脈是二穴今王氏去灸之二字則見二穴今於注中却存灸之二字以闕疑耳巔上一灸之百會穴也在頂中央旋毛中陷容指督脈足太陽脈之交會刺可入同身寸之三分若灸者灸五壯犬所齧之處灸之三壯即以犬傷病法灸之犬傷而發寒熱者即以犬傷法三壯灸之齧古結反凡當灸二十九處傷食灸之傷食爲病亦發

寒熱故灸。新校正云：詳足陽明不別灸則有二十八處，疑王氏去上文灸之二字者非

不已者，必視其經之過於陽者，數刺其俞而藥之。

○水熱穴論篇第六十一 新校正云：按全元起本在第八卷

黃帝問曰：少陰何以主腎？腎何以主水？岐伯對曰：腎者至陰也，至陰者盛水也。肺者太陰也，少陰者冬脉也，故其本在腎，其末在肺，皆積水也。陰者謂寒也，冬月至寒，腎氣合應，故云腎者至陰也。水王於冬，故云至陰

者盛水也腎少陰脉從腎上貫肝鬲入肺中故云其本在腎其末在肺也腎氣上逆則水氣客於肺中故云皆積水也帝曰腎何以能聚水而生病岐伯曰腎者胃之關也關門不利故聚水而從其類也關者所以司出入也腎主下焦膀胱爲府主其分注關竅二陰故腎氣化則二陰通二陰閟則胃填滿故云腎者胃之關也關閟則水積水積則氣停氣停則水生水生積則氣溢氣水同類故云關閟不利聚水而從其類也靈樞經曰下焦溢爲水此之謂也閟音祕上下溢於皮膚故爲胕腫胕腫者聚水而生病也上謂肺下謂腎肺腎俱溢故聚水於腹中而生病也帝

曰諸水皆生於腎乎岐伯曰腎者牝藏也牝陰也亦主陰位故云牝藏地氣上者屬於腎而生水液也故曰至陰勇而勞甚則腎汗出腎汗出逢於風內不得入於藏府外不得越於皮膚客於玄府行於皮裏傳於胕腫本之於腎名曰風水勇而勞甚謂力房也勞勇汗出則玄府開汗出逢風則玄府復閉玄府閉已則餘汗未出內伏皮膚專化爲水從風而水故名風水所謂玄府者汗空也汗液色玄從空而出以汗聚於裏故謂之玄府府聚也帝曰水俞五十

七處者是何主也岐伯曰腎俞五十七穴積陰之所聚也水所從出入也尻上五行行五者此腎俞背部之俞凡有五行當其中者督脉氣所發次兩傍四行皆是太陽脉氣也故水病下爲胕腫大腹上爲喘呼水下居於腎則腹至足而跗腫上入於肺則喘息賁急而大呼也不得臥者標本俱病標本者肺爲標腎爲本如此者是肺腎俱水爲病也故肺爲喘呼腎爲水腫肺爲逆不得臥肺爲喘呼氣逆不得臥者以其主呼吸故也腎爲水腫者以其主水故也分爲相輸俱受者水氣之

所留也分其居處以名之則是氣相輸應本其俱受病氣則皆是水所留也留力救反伏菟上各二行行五者此腎之街也街謂道也腹部正俞凡有五行俠齊兩傍則腎藏足少陰脉及衝脉氣所發次兩傍則胃府足陽明脉氣所發此四行穴則伏菟之上也菟音兔三陰之所交結於脚也踝上各一行行六者此腎脉之下行也名曰大衝腎脉與衝脉並下行循足合而盛大故曰大衝凡五十七穴者皆藏之陰絡水之所客也經所謂五十七者然尻上五行行五則背脊當中行督脉氣所發者脊中懸樞命門腰俞長強當其處也次俠督脉兩傍

足太陽脉氣所發者有大腸俞小腸俞膀胱
俞中膂内俞白環俞當其處也又次外俠兩
傍足太陽脉氣所發者有胃倉肓門志室胞
肓秩邊當其處也伏菟上各二行行五者腹
部正俞俠中行任脉兩傍衝脉足少陰之會
者有中注四滿氣穴大赫横骨當其處也次
俠衝脉足少陰兩傍足陽明脉氣所發者有
外陵大巨水道歸來氣街當其處也踝上各
一行行六者足内踝之上有足少陰陰蹻三脉
並循腨上行足少陰脉有大衝復溜陰谷三
穴陰蹻脉有照海交信築賓三穴陰蹻既足
少陰脉之别亦可通而主之兼此數之猶少
一穴脊中在第十一椎節下間俛而取之刺
可入同身寸之五分不可灸令人傴僂樞在
第十三椎節下間伏而取之刺可入同身寸
之三分若灸者可灸三壯命門在第十四椎

節下間伏而取之刺可入同身寸之五分若灸者可灸三壯腰俞在第二十一椎節下間刺可入同身寸之二分。新校正云按甲乙經及繆刺論注并熱穴注俱云刺入二寸而刺熱注氣府注并此注作二分宜從二分之說。留七呼若灸者可灸三壯長強在脊骶端督脉别絡少陰所結刺可入同身寸之二分留七呼若灸者可灸三壯此五穴者並督脉氣所發也。新校正云詳王氏云少一穴按氣府論注十二椎節下有陽關一穴若遲數陽關則不少矣。次俠督脉兩傍太陽俞在第十六椎下俠督脉兩傍去督脉各同身寸之一寸半刺可入同身寸之三分留六呼若灸者可灸三壯小腸俞在第十八椎下兩傍相去及刺灸分壯法如大腸俞膀胱俞在第十九椎下兩傍相去及刺灸分壯法如大腸俞中膂内俞在第二十椎下兩傍相去及刺灸分壯法如大腸俞俠脊膂胂起肉留十呼白環俞在第二十一椎下兩傍相去如大腸俞伏而取之刺可入同身寸之五分若灸者可灸三壯○新校正云按甲乙經云刺可入入分不可灸此五穴者並足太陽脉氣所發所謂腎俞者則此也○又次外兩傍胃倉在第十二椎下兩傍相去各同身寸之三寸刺可入同身寸之五分若灸者可灸三壯肓門在第十三椎下兩傍相去及刺灸分壯法如胃倉志室在第十四椎下兩傍相去及刺灸分壯法如胃倉正坐取之胞肓在第十九椎下兩傍相去及刺灸分壯法如胃倉伏而取之秩邊在第二十一椎下兩傍相去及刺灸分壯法如胃倉伏而取之此五穴者並足太陽脉氣所發也次伏菟上兩行中注在齊

下同身寸之五分兩傍相去任脉各同身寸之五分○新校正云按甲乙經同氣府注云俠中行方一寸文異而義同○四滿在中注下同身寸之一寸氣穴在四滿下同身寸之一寸大赫在氣穴下同身寸之一寸横骨在大赫下同身寸之一寸各横相去同身寸之一寸並衝脉足少陰之會刺可入同身寸之一寸若灸者可灸五壯次外兩傍穴外陵在齊下同身寸之一寸○新校正云按氣府論注云外陵在天樞下一寸與此正同○兩傍去衝脉各同身寸之一寸半大巨在外陵下同身寸之一寸水道在大巨下同身寸之三寸歸來在水道下同身寸之三寸氣街在歸來下○新校正云按氣府注刺熱注熱穴注云在腹齊下横骨兩端鼠鼷上一寸刺禁注云在腹下俠齊兩傍相去四寸鼠僕上一寸

動脉應手骨空注云在毛際兩傍鼠鼷上諸注不同今備録之。鼠鼷上同身寸之一寸各横相去同身寸之二寸此五穴者並足陽明脉氣所發水道刺可入同身寸之二寸半若灸者可灸五壯氣街刺可入同身寸之三分留七呼若灸者可灸三壯餘三穴並刺可入同身寸之八分若灸者並可五壯所謂腎之街者則此也踝上各一行行六者大鍾在足内踝後街中。新校正云按甲乙經云跟後衝中刺瘧注刺腰痛注作跟後街中動脉此云内踝後此注非。足少陰絡别走太陽者刺可入同身寸之二分留三呼若灸者可灸三壯復溜在内踝上同身寸之二寸陷者中足少陰脉之所行也刺可入同身寸之三分留三呼若灸者可灸五壯照海在内踝下刺可入同身寸之四分留六呼若灸者可灸三壯交信在内踝上同身寸之二寸少陰前太陰後筋骨間陰蹻之郄刺可入同身寸之四分留五呼若灸者可灸三壯築賓在内踝上踹分中陰維之郄刺可入同身寸之三分若灸者可灸五壯陰谷在膝下内輔骨之後大筋之下小筋之上按之應手屈膝而得之足少陰脉之所入也刺可入同身寸之四分若灸者可灸三壯所謂腎經之下行名曰大衝者則此也

帝曰春取絡脉分肉何也岐伯曰春者木始治肝氣始生肝氣急其風疾經脉常深其氣少不能深入故取絡脉分肉間帝曰夏取盛經分湊何也岐伯曰夏者火始治心

氣始長脉瘦氣弱陽氣留溢新校正云按別本留一作流熱熏分腠內至於經故取盛經分腠絕膚而病去者邪居淺也絕謂絕破令病得出也所謂盛經者陽脉也帝曰秋取經俞何也岐伯曰秋者金始治肺將收殺三陰已成故漸將收殺金將勝火陽氣在合金王火衰故云金將勝火陰氣初勝濕氣及體以漸於雨濕霧露故云濕氣及體陰氣未盛未能深入故取俞以寫陰邪取合以虛陽邪陽氣始衰故取於合

新校正云按皇甫士安云是謂治秋之治變帝曰冬取井滎何也岐伯曰冬者水始治腎方閉陽氣衰少陰氣堅盛巨陽伏沈陽氣乃去去謂下去故取井以下陰逆取滎以實陽氣新校正云按全元起本實作遣甲乙經千金方作通故曰冬取井滎春不鼽衄新校正云按皇甫士安云是謂末冬之治變此之謂也新校正云按此與四時刺逆從論及診要經終論義頗不同與九卷之義相通帝曰夫子言治熱病五十九俞余論其意未能領別其處願聞其處因聞其

意岐伯曰頭上五行行五者以越諸陽之熱
逆也頭上五行者當中行謂上星顖會前頂
百會後頂次兩傍謂五處承光通天絡
却玉枕又次兩傍謂臨泣目窗正營承靈腦
空也上星在顖上直鼻中央入髮際同身寸
之一寸陷者中容豆刺可入同身寸之三分
顖會在上星後同身寸之一寸陷者中刺可
入同身寸之四分前頂在顖會後同身寸之
一寸五分骨間陷者中刺如顖會法百會在
前頂後同身寸之一寸五分頂中央旋毛中
陷容指督脉足太陽脉之交會刺如上星法
後頂在百會後同身寸之一寸五分枕骨上
刺如顖會法然是五者皆督脉氣所發也上
星留六呼若灸者並可灸五壯次兩傍穴五
處在上星兩傍同身寸之一寸五分承光在

五處後同身寸之一寸通天在承光後同身寸之一寸五分絡却在通天後同身寸之一寸五分玉枕在絡却後同身寸之七分然是五者並足太陽脈氣所發刺可入同身寸之三分五處通天各留七呼絡却留五呼玉枕留三呼若灸者可灸三壯○新校正云按甲乙經承光不灸玉枕刺入二分又刺兩傍臨泣在頭直目上入髮際同身寸之五分足太陽少陽陽維三脉之會目窻正營遞相去同身寸之一寸承靈腦空遞相去同身寸之一寸五分然是五者並足少陽陽維二脉之會腦空一穴刺可入同身寸之四分餘並可刺入同身寸之三分臨泣留七呼若灸者可灸五壯

大杼膺俞缺盆背俞此八者以寫胷中之熱也大杼在項第一椎下兩傍相去

各同身寸之一寸半陷者中督脉别絡手足太陽三脉氣之會刺可入同身寸之三分留七呼若灸者可灸五壯。新校正云按甲乙經并氣穴注作七壯刺瘧注刺熱注作五壯。膺俞者膺中之俞也正名中府在胸中行兩傍相去同身寸之六寸雲門下一寸乳上三肋間動脉應手陷者中仰而取之手足太陰脉之會刺可入同身寸之三分留五呼若灸者可灸三壯缺盆在肩上横骨陷者中手陽明脉氣所發刺可入同身寸之二分留七呼若灸者可灸三壯背俞即風門熱府俞也在第二椎下兩傍各同身寸之一寸三分督脉足太陽之會刺可入同身寸之五分留七呼若灸者可灸五壯今中誥孔穴圖經雖不名之既曰風門熱府即治熱之背俞也。新校正云按王氏注刺熱論云背俞未詳何處注此指名風門熱府注氣穴論以大杼爲背俞三注不同者蓋亦疑之者也氣街三里巨虛上下廉此八者以寫胃中之熱也氣街在腹齊下橫骨兩端鼠鼷上同身寸之一寸動脉應手足陽明脉氣所發刺可入同身寸之三分留七呼若灸者可灸三壯○新校正云按氣街諸注不同具前水穴注中三里在膝下同身寸之三寸胻外廉兩筋肉分間足陽明脉之所入也刺可入同身寸之一寸留七呼若灸者可灸三壯巨虛上廉足陽明與大腸合在三里下同身寸之三寸足陽明脉氣所發刺可入同身寸之八分若灸者可灸三壯巨虛下廉足陽明與小腸合在上廉下同身寸之三寸足陽明脉氣所發刺雲可入同身寸之三分若灸者可灸三壯也

門髃骨委中髓空此八者以寫四支之熱也雲門在巨骨下胷中行兩傍相去同身寸之六寸動脉應手足太陰脉氣所發也○新校正云按甲乙經同氣穴注作手太陰刺熱注亦作手太陰○舉臂取之刺可入同身寸之七分若灸者可灸五壯驗今中誥孔穴圖經無髃骨穴有肩髃穴在肩端兩骨間手陽明蹻脉之會刺可入同身寸之六分留六呼若灸者可灸三壯委中在足膝後屈處膕中央約文中動脉足太陽脉之所入也刺可入同身寸之五分留七呼若灸者可灸三壯按今中誥孔穴圖經云腰俞穴一名髓空在脊中第二十一椎節下主汗不出足清不仁督脉氣所發也刺可入同身寸之二寸留七呼若灸者可灸三壯○新校正云詳腰俞刺入二

寸當作二分已具前水穴注中五藏俞傍五此十者以寫五藏之熱也俞傍五者謂魄戶神堂魂門意舍志室五穴俠脊兩傍各相去同身寸之三寸並足太陽脉氣所發也魄戶在第三椎下兩傍正坐取之刺可入同身寸之五分若灸者可灸五壯神堂在第五椎下兩傍刺可入同身寸之三分若灸者可灸五壯魂門在第九椎下兩傍正坐取之刺可入同身寸之五分若灸者可灸三壯意舍在第十一椎下兩傍正坐取之刺可入同身寸之五分若灸者可灸三壯志室在第十四椎下兩傍正坐取之刺可入同身寸之五分若灸者可灸三壯凡此五十九穴者皆熱之左右也帝曰人傷於寒而傳爲熱何

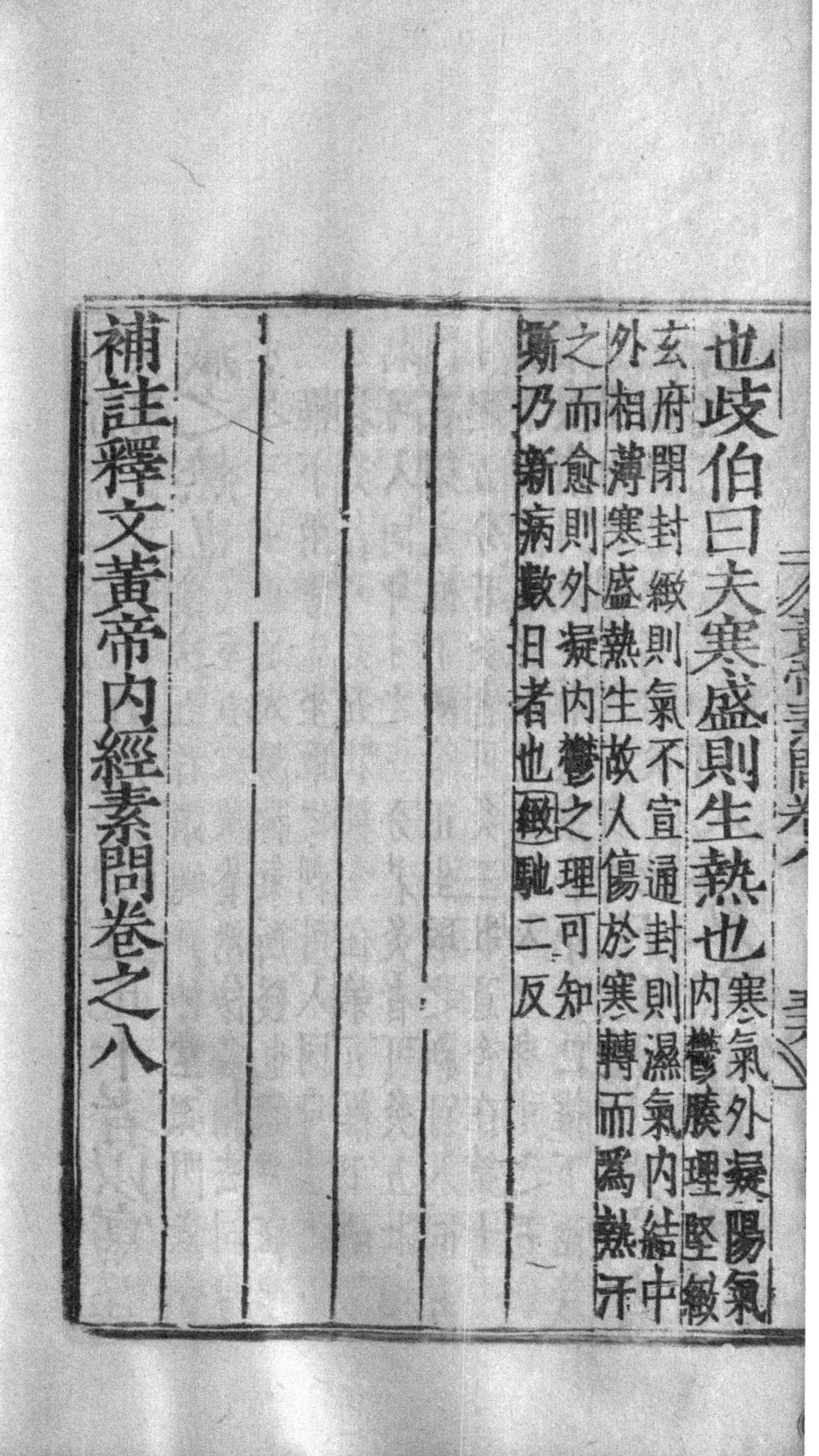

也岐伯曰夫寒盛則生熱也寒氣外凝陽氣內鬱腠理堅緻玄府閉封緻則氣不宣通封則濕氣內結中外相薄寒盛熱生故人傷於寒轉而為熱汗之而愈則外凝內鬱之理可知斯乃新病數日者也【緻】馳二反

補註釋文黃帝內經素問卷之八

補註釋文黄帝内經素問卷之九

○調經論篇第六十二　新校正云按全元起本在第一卷

黄帝問曰余聞刺法言有餘寫之不足補之何謂有餘何謂不足歧伯對曰有餘有五不足亦有五帝欲何問帝曰願盡聞之歧伯曰神有餘有不足氣有餘有不足血有餘有不足形有餘有不足志有餘有不足凡此十者其氣不等也　神屬心氣屬肺血屬肝形屬脾志屬腎以各有所宗故不等也

帝曰：人有精氣津液四支九竅五藏十六部三百六十五節，乃生百病，百病之生，皆有虛實。今夫子乃言有餘有五，不足亦有五，何以生之乎？鍼經曰：兩神相薄，合而成形，常先身生，是謂精。上焦開發，宣五穀味，熏膚充身澤毛，若霧露之溉，是謂氣。腠理發泄，汗出腠理，是謂津。津之滲於空竅，留而不行者，爲液也。十六部者，謂手足二，九竅九，五藏五，合爲十六部也。三百六十五節者，非謂骨節，是神氣出入之處也。鍼經曰：所謂節之交三百六十五會，皆神氣出入遊行之所，非骨節也。言人身所有則多，所舉則少，病生之數，何以論之。岐伯曰：皆生於五藏也。謂五神藏也。夫心藏神，肺藏氣，肝藏血，脾藏肉，腎藏志，而此成形。言所以病皆生於五藏者何哉？以内藏五神而成形也。志意通，内連骨髓而成形五藏。志意者，通言五神之大凡也。骨髓者，通言表裏之成化也。言五神通泰，骨髓化成，身形既立，及五藏互相爲有矣。○新校正云：按《甲乙經》無「五藏」二字。五藏之道，皆出於經隧，以行血氣，血氣不和，百病乃變化而生，是故守經隧焉。隧，潛道也。經脉伏行而不見，故謂之經隧焉。血氣者，人之神，邪侵之則血氣不正，血氣不正，故變化而百病乃生矣。然經脉者，所以決死生，處百病，調虚實故守經隧焉。新校正云按甲乙經經隧作經渠義各通隧音遂帝曰神有餘不足何如岐伯曰神有餘則笑不休神不足則悲心之藏也鍼經曰心藏脈脈舍神心氣虛則悲實則笑不休也悲一爲憂誤也。新校正云詳王注云悲一爲憂誤也按甲乙經及太素并全元起注本並作憂皇甫士安云心虛則悲悲則憂心實則笑笑則喜夫心之與肺脾之與心互相成也故喜發於心而成於肺思發於脾而成於心一過其節則二藏俱傷楊上善云心之憂在心變動也肺之憂在肺之志是則肺主秋憂爲正也心主於夏變而生憂也血氣未并五藏安定邪客於形灑淅起於毫毛未入於經絡也故命曰神之微并謂并合也未與邪合故曰未并也灑淅寒貌也始起於毫毛尚在於小絡神之微病故命曰神之微也。新校正云按甲乙經灑淅作悽厥太素作洫泝揚上善云洫毛孔也水逆流曰泝謂邪氣入於腠理如水逆流於洫

帝曰補寫奈何岐伯曰神有餘則寫其小絡之血出血勿之深斥無中其大經神氣乃平邪入小絡故可寫其小絡之脉出其血勿深推鍼鍼深則傷肉以邪居小絡故不欲令鍼中大經也絡血既出神氣自平斥推也小絡孫絡也鍼經曰經脉爲裏支而橫者爲絡絡之別者爲孫絡平謂平調也。新校正云詳此注引鍼經曰與三部九候論注兩引

之在彼云靈樞而此曰鍼經則王氏之意指靈樞爲鍼經也按今素問注中引鍼經者多靈樞之文但以靈樞今不全故未得盡知也神不足者視其虛絡接而致之刺而利之無出其血無泄其氣以通其經神氣乃平但通經脉令其和利抑按虛絡令其氣致以神不足故不欲出血及泄氣也○新校正云按甲乙經按作切利作和帝曰刺微奈何覆前初起於毫毛未入於經絡者岐伯曰按摩勿釋著鍼勿斥移氣於不足神氣乃得復按摩其病處手不釋散著鍼於病處亦不推之使其人神氣內朝於鍼移其人神氣令自充足則微病自去神氣乃

得復常○新校正云按甲乙經及太素云移氣於足無不字楊上善云按摩使氣至於踵也帝曰善氣有餘不足奈何岐伯曰氣有餘則喘欬上氣不足則息利少氣肺之藏也肺藏氣息不利則喘鍼經曰肺氣虛則鼻息利少氣實則喘喝胷憑仰息也血氣未并五藏安定皮膚微病命曰白氣微泄肺合皮其色白故皮膚微病命曰白氣微泄帝曰補寫奈何岐伯曰氣有餘則寫其經隧無傷其經無出其血無泄其氣不足則補其經隧無出其氣氣謂榮氣也鍼寫若傷其經則

血出而榮氣泄脫故不欲出血泄氣但寫其衛氣而已鍼補則又宜謹閉穴俞然其衛氣亦不欲泄之。新校正云按楊上善云經隧者手太陰之別從手太陰走手陽明乃是手太陰向手陽明之道欲道藏府陰陽故補寫皆從正經別走之絡寫其陰經別走之路不得傷其正經也帝曰刺微奈何覆前白氣微泄者歧伯曰按摩勿釋出鍼視之曰我將深之適人必革精氣自伏邪氣散亂無所休息氣泄腠理真氣乃相得亦謂按摩其病處也革皮也我將深之適人必革者謂其深而淺刺之也如是脇從則人懷懼色故精氣潛伏也以其調適於皮精氣潛伏邪無所據故亂散而無休息發泄於腠理也邪氣既泄眞氣乃與皮腠相得矣○新校正云按楊上善云革攺也夫人聞樂至則身心忻悅聞痛及體情必改異忻悅則百體俱縱改革則情志必拒拒則邪氣消伏

帝曰善血有餘不足奈何岐伯曰血有餘則怒不足則恐肝之藏也鍼經曰肝藏血肝氣虛則恐實則怒○新校正云按全元起本恐作悲甲乙經及太素同血氣未幷五藏安定孫絡水溢則經有留血絡有邪盛則入於經故云孫絡外溢則經有留血

帝曰補寫奈何岐伯曰血有餘則寫其盛經出其血不足則視其虛經內鍼其脉中

久留而視新校正云按甲乙經云久留之血至太素同脉太疾出
其鍼無令血泄脉盛滿則血有餘故出之經氣虛則血不足故無令血泄
也久留疾出是謂補之鍼解論曰徐而疾則實義與此同帝曰刺留血奈
何岐伯曰視其血絡刺出其血無令惡血得
入於經以成其疾血絡滿者刺按出之則惡色之血不得入於經脉
帝曰善形有餘不足奈何岐伯曰形有餘則
腹脹涇溲不利不足則四支不用脾之藏也鍼經曰脾
氣虛則四支不用五藏不安實則腹脹涇溲
不利涇大便溲小便也○新校正云按楊上

善云滛作經女人月經也血氣未幷五藏安定肌肉蠕動命曰微風邪薄肉分衛氣不通陽氣內鼓故肉蠕動。新校正云按全元起本及甲乙經蠕作溢太素作濡帝曰補寫奈何岐伯曰形有餘則寫其陽經不足則補其陽絡並胃之經絡帝曰刺微奈何岐伯曰取分肉間無中其經無傷其絡衛氣得復邪氣乃索衛氣者所以溫分肉而充皮膚肥腠理而司開闔故肉蠕動卽取分肉間但開肉分以出其邪故無中其經無傷其絡衛氣復舊而邪氣盡索散盡也帝曰善志有餘不足奈何岐伯曰志有餘則腹脹飧泄不足則厥腎之藏也鍼經曰腎藏精精舍志腎氣虛則厥實則脹脹謂脹起厥謂逆行上衝也足少陰脈下行今氣不足故隨衝脈逆行而上衝也飧音孫血氣未并五藏安定骨節有動腎合骨故骨有邪薄則骨節鼓動或骨節之中如有物鼓動之也帝曰補寫奈何岐伯曰志有餘則寫然筋血者新校正云按甲乙經及太素云寫然筋血者出其血楊上善云然筋當是然谷下筋再詳諸處引然谷者多云然骨之前血者疑少骨之二字前字誤作筋字不足則補其復溜然謂然谷足少陰滎也在内踝之前太骨之下陷者中血絡盛則泄之其

刺可入同身寸之三寸留三呼若灸者可灸三壯復溜足少陰經也在内踝上同身寸之二寸陷者中刺可入同身寸之三寸留三呼若灸者可灸五壯帝曰刺未幷奈何岐伯曰即取之無中其經邪所乃能立虚。不求穴俞而直取居邪之處故云即取之○新校正云按甲乙經邪所作以去其邪帝曰善余已聞虚實之形不知其何以生岐伯曰氣血已幷陰陽相傾氣亂於衛血逆於經血氣離居一實一虚衛行脉外故氣亂於衛血行經内故血逆於經血氣不和故一實一虚血幷於陰氣幷於陽故爲驚狂氣幷於陽則陽氣外盛故爲驚狂血幷於陽氣幷於陰乃爲炅中氣幷於陰則陽氣內盛故爲熱中炅熱也血幷於上氣幷於下心煩惋善怒血幷於下氣幷於上亂而喜忘上謂鬲上下謂鬲下帝曰血幷於陰氣幷於陽如是血氣離居何者爲實何者爲虛岐伯曰血氣者喜溫而惡寒則泣不能流溫則消而去之泣謂如雪在水中凝住而不行去也是故氣之所幷爲血虛血之所幷爲氣虛氣幷於血則血少故血虛血幷於氣則氣少故氣虛

帝曰人之所有者血與氣耳今夫子乃言血幷爲虛氣幷爲虛是無實乎岐伯曰有者爲實無者爲虛氣幷於血則血無血幷於氣則氣無故氣幷則無血血幷則無氣今血與氣相失故爲虛焉氣幷於血則血失其氣血幷於氣則氣失其血故曰血與氣相失絡之與孫脉俱輸於經血與氣幷則爲實焉血之與氣幷走於上則爲大厥厥則暴死氣復反則生不反則死帝曰實者何道從來虛者何道從去

虛實之要願聞其故岐伯曰夫陰與陽皆有俞會陽注於陰陰滿之外陰陽勻平以充其形九候若一命曰平人平人謂平和之人夫邪之生也或生於陰或生於陽其生於陽者得之風雨寒暑其生於陰者得之飲食居處陰陽喜怒帝曰風雨之傷人奈何岐伯曰風雨之傷人也先客於皮膚傳入於孫脉孫脉滿則傳入於絡脉絡脉滿則輸於大經脉血氣與邪

幷客於分腠之間其脉堅大故曰實實者外堅充滿不可按之按之則痛帝曰寒濕之傷人奈何岐伯曰寒濕之中人也皮膚不收新校正云按全元起云不收不仁也甲乙經及太素云皮膚收無不字肌肉堅緊榮血泣衛氣去故曰虛虛者聶辟氣不足按之則氣足以溫之故快然而不痛聶謂聶攝辟謂辟疊也〇新校正云按甲乙經作攝辟太素作攝辟帝曰善陰之生實奈何實謂邪氣盛也岐伯曰喜怒不節則陰氣上逆上

逆則下虛下虛則陽氣走之故曰實矣新校正云按經云喜怒不節則陰氣上逆疑剩喜字帝曰陰之生虛奈何虛謂精氣奪也岐伯曰喜則氣下悲則氣消消則脉虛空因寒飲食寒氣熏滿新校正云按甲乙經作動藏則血泣氣去故曰虛矣帝曰經言陽虛則外寒陰虛則内熱陽盛則外熱陰盛則内寒余已聞之矣不知其所由然也經言謂上古經言也岐伯曰陽受氣於上焦以温皮膚分肉之間今寒氣在

外則上焦不通上焦不通則寒氣獨留於外故寒慄慄謂振慄也帝曰陰虛生內熱奈何岐伯曰有所勞倦形氣衰少穀氣不盛上焦不行下脘不通新校正云按甲乙經作下焦不通胃氣熱熱氣熏胃中故內熱甚用其力致勞倦也貪役不食故穀氣不盛也帝曰陽盛生外熱奈何岐伯曰上焦不通利則皮膚緻密腠理閉塞玄府不通新校正云按甲乙經及太素無玄府二字衛氣不得泄越故外熱外傷寒毒內薄諸陽寒外盛則皮膚

收皮膚收則腠理密故衛氣稸聚無所流行矣寒氣外薄陽氣內爭積火內燔故生外熱也（燔）音煩帝曰陰盛生內寒奈何岐伯曰厥氣上逆寒氣積於胸中而不寫不寫則溫氣去寒獨留則血凝泣凝則脉不通新校正云按甲乙經作腠理不通其脉盛大以濇故中寒溫氣謂陽氣也陰逆內滿則陽氣去於皮外也帝曰陰與陽并血氣以并病形以成刺之奈何岐伯曰刺此者取之經隧取血於營取氣於衛用形哉因四時多少高下營主血陰氣也

衛主氣陽氣也夫行鍼之道必先知形之長短骨之廣狹循三備法通計身形以施分寸故曰用形也四時多少高下則在下篇帝曰血氣以并病形以成陰陽相傾補寫奈何岐伯曰寫實者氣盛乃內鍼鍼與氣俱內以開其門如利其戶鍼與氣俱出精氣不傷邪氣乃下外門不閉以出其疾搖大其道如利其路是謂大寫必切而出大氣乃屈言欲開其穴而泄其氣也切謂急也言急出其鍼也鍼經論曰疾而徐則虛者疾出鍼而徐按之也大氣謂大邪氣也屈謂退屈也帝曰補

虛柰何岐伯曰持鍼勿置以定其意候呼內鍼氣出內鍼入鍼空四塞精無從去方實而疾出鍼氣入鍼出熱不得還閉塞其門邪氣布散精氣乃得存動氣候時新校正云按甲乙經作動無候時近氣不失遠氣乃來是謂追之言但密閉穴俞勿令其氣散泄也近氣謂已至之氣遠氣謂未至之氣也欲動經氣而爲補補者皆必候水刻氣之所在而刺之是謂得時而調之追言補也鍼經曰追而濟之安得無實則此謂也

帝曰夫子言虛實者有十生於五藏五藏五

脉耳夫十二經脉皆生其病新校正云按甲乙經云皆生百病太素同今夫子獨言五藏夫十二經脉者皆絡三百六十五節節有病必被經脉經脉之病皆有虛實何以合之岐伯曰五藏者故得六府與爲表裏經絡支節各生虛實其病所居隨而調之從其左右經氣支節而調之病在脉調之血脉者血之府脉實血實脉虛血虛由此脉病而調之血也○新校正云按全元起本及甲乙經云病在血調之也病在血調之絡血病則絡脉易病故調之於絡也

在氣調之衛衛主氣故氣病而調之衛也病在肉調之分肉候寒熱而取之病在筋調之筋適緩急而刺熨之病在骨調之骨察輕重而調之燔鍼刼刺其下及與急者調筋法也筋急則燒鍼而刼刺之病在骨焠鍼藥熨調骨法也焠鍼火鍼也病不知所痛兩蹻爲上兩蹻謂陰陽蹻脉陰蹻之脉出於照海陽蹻之脉出於申脉申脉在足外踝下陷者中容爪甲○新校正云按刺腰痛注云在踝下五分刺可入同身寸之三分留六呼若灸者可灸三壯照海在足內踝下刺可入同身寸之四分留六呼若灸者可灸三壯身形有痛九候莫病則

繆刺之莫病謂無病也繆刺者刺絡脉左痛刺右右痛刺左痛在於左而右脉病者巨刺之巨刺者刺經脉左痛刺右右痛刺左必謹察其九候鍼道備矣

○繆刺論篇第六十三新校正云按全元起本在第二卷

黄帝問曰余聞繆刺未得其意何謂繆刺繆刺言所刺之穴應用如紕繆綱紀也岐伯對曰夫邪之客於形也必先舍於皮毛留而不去入舍於孫脉留而不去入舍於絡脉留而不去入舍於經脉

內連五藏散於腸胃陰陽俱感五藏乃傷此邪之從皮毛而入極於五藏之次也如此則治其經焉今邪客於皮毛入舍於孫絡留而不去閉塞不通不得入於經流溢於大絡而生奇病也病在血絡是謂奇邪。新校正云按全元起云大絡十五絡也夫邪客大絡者左注右右注左上下左右與經相干而布於四末其氣無常處不入於經俞命曰繆刺四末謂四支也帝曰願聞繆刺以左取右以右取左奈何其與巨刺何以別之岐伯曰邪客於經左盛則右病右盛則左病亦有移易者新校正云按甲乙經作病易且移左痛未已而右脉先病如此者必巨刺之必中其經非絡脉也先病者謂彼痛未止而此先病以承之故絡病者其痛與經脉繆處故命曰繆刺絡謂正經之傍支非正別也亦兼公孫飛揚等之別絡也○新校正云按王氏云非正別也安本論邪客足太陰絡令人腰痛注引從髀合陽明上絡嗌貫舌中乃太陰之正也亦是兼正脉之正安得謂之作正別也帝曰願聞

繆刺奈何取之何如岐伯曰邪客於足少陰之絡令人卒心痛暴脹胷脇支滿以其絡支別者並正經從腎上貫肝鬲走於心包故邪客之則病如是無積者刺然骨之前出血如食頃而已然骨之前然谷穴也在足內踝前起大骨下陷者中足少陰榮也刺可入同身寸之三分留三呼若灸者可灸三壯刺此多見血令人立饑欲食不已左取右右取左言痛在左取之右痛在右取之左餘如此例病新發者取五日已素有此病而新發先刺之五日乃盡已邪客於手少陽之絡令人喉痺舌卷口乾

心煩臂外廉痛手不及頭以其脉循手表出臂外上肩入缺盆布膻中散絡心包其支者從膻中上出缺盆上項又心主其舌故病如是刺手中指次指爪甲上去端如韭葉各一痏謂關衝穴少陽之井也刺可入同身寸之一分留三呼若灸者可灸三壯左右手皆刺之故言各一痏痏瘡也○新校正云按甲乙經關衝穴出手小指次指之端今言中指者誤也壯者立已老者有頃已左取右右取左此新病數日已邪客於足厥陰之絡令人卒疝暴痛以其絡去內踝上同身寸之五寸別走少陽其支別者循脛上睪結於莖故令人卒疝暴痛睪

陰丸也

刺足大指爪甲上與肉交者各一痏謂大敦穴足大指之端去爪甲角如韭葉厥陰之井也刺可入同身寸之三分留十呼若灸者可灸三壯男子立已女子有頃已左取右右取左

邪客於足太陽之絡令人頭項肩痛以其經之正者從腦出別下項支別者從髆內左右別下又其絡自從上行循背上頭故頭項肩痛也。新校正按甲乙經云其支者從巔入絡腦還出別下項王氏云經之正者正當作支刺足小指爪甲上與肉交者各一痏立已謂至陰穴太陽之井也刺可入同身寸之一分留五呼若灸者可灸三壯。新校正云按甲乙經云在足小指外側去爪甲角如韭葉不已刺外踝下三痏左取右右取左如食頃已謂金門穴足太陽郄也在外踝下刺可入同身寸之三分若灸者可灸三壯邪客於手陽明之絡令人氣滿胷中喘息而支胠胷中熱以其經自肩端入缺盆絡脉其支別者從缺盆中直而上頸故病如是刺手大指次指爪甲上去端如韭葉各一痏左取右右取左如食頃已謂商陽穴手陽明之井也刺可入同身寸之一分留一呼若灸者可灸一壯○新校正按甲乙經云商陽在手大指次指內側去爪甲角如韭葉邪客於臂掌

之間不可得屈刺其踝後新校正云按全元起本云是人手之本節踝也先以指按之痛乃刺之以月死生爲數月生一日一痏二日二痏十五日十五痏十六日十四痏隨日數也月半已前謂之生月半已後謂之死虧滿而異也邪客於足陽蹻之脉令人目痛從內眥始以其脉起於足上行至頭而屬目內眥故病令人目痛從內眥始也何以明之八十一難經曰陽蹻脉者起於跟中循外踝上行入風池鍼經曰陰蹻脉入鼽屬目內眥合於太陽陽蹻而上行尋此則至於目內眥也刺外踝之下半寸所各二痏

謂由脉穴陽蹻之所生也在外踝下陷者中容爪甲刺可入同身寸之三分留六呼若灸者可灸三壯。新校正云按刺腰痛注云外踝下五分左刺右右刺左如行十里頃而已人有所墮墜惡血留內腹中滿脹不得前後先飲利藥此上傷厥陰之脉下傷少陰之絡刺足內踝之下然骨之前血脉出血此少陰之絡也。新校正云詳血脉出血脉字疑是絡字刺足跗上動脉謂衝陽穴胃之原也刺可入同身寸之三分留十呼若灸者可灸三壯主腹大不嗜食以䐜脹滿故取之不已刺三毛上各一痏見血立已左刺右右刺左（謂大敦穴厥陰之井也）善悲驚不樂刺如右方（善悲驚不樂亦如上法刺之）邪客於手陽明之絡令人耳聾時不聞音（以其經支者從缺盆上頸貫頰又其絡支別者入耳會於宗脉故病令人耳聾時不聞聲音）刺手大指次指爪甲上去端如韭葉各一痏立聞（亦同前商陽穴）不已刺中指爪甲上與肉交者立聞（謂中衝穴手心主之井也在手中指端去爪甲如韭葉陷者中刺可入一分留三呼灸可三壯古經脫簡無絡可尋恐是刺小指爪甲與肉交者也何以言之下文云手少陰絡會於耳中也若小

指之端是謂少衝手少陰之井刺可入一分留一呼灸者可三壯○新校正云按王氏云恐是小指爪甲上少衝穴按甲乙經手心主之正上循喉嚨出耳後少陽完骨之下如是則安得不刺中衝而疑爲少衝也其不時聞者不可刺也不時聞者絡氣已絕故不可刺耳中生風者亦刺之如此數左刺右右刺左凡痹往來行無常處者在分肉間痛而刺之以月死生爲數用鍼者隨氣盛衰以爲痏數鍼過其日數則脫氣不及日數則氣不寫左刺右右刺左病已止不已復刺

之如法言所以約月死生為數者向以隨氣之盛衰也月生一日一痏二日二痏漸多之十五日十五痏十六日十四痏漸少之如是刺之則無過數無不及也邪客於足陽明之經令人鼽衄上齒寒以其脉起於鼻交頞中下循鼻外入上齒中還出俠口環脣下交承漿却循頤後下廉出大迎循頰車上耳前故病令人鼽衄上齒寒也復以其脉左右交於面部故舉經脉之病以明繆處之類故下文云。新校正云按全元起本與甲乙經陽明之經作陽明之絡刺足中指次指爪甲上與肉交者各一痏左刺右右刺左中當為大亦傳寫中大之誤也據靈樞經孔穴圖經中指次指爪甲上無穴當言刺大指次指爪甲上乃厲兌穴陽明之井不當更有次指二字也厲兌者刺可入同身寸之一分留一呼若灸者可灸一壯。新校正云按甲乙經云刺足中指爪甲上無次指二字蓋以大指次指爲中指義與王注同下文云足陽明中指爪甲上亦謂此穴也厲兌在足大指次指之端去爪甲角如韭葉

邪客於足少陽之絡令人脇痛不得息欬而汗出以其脉支別者從目兌眥下大迎合手少陽於顓下加頰車下頸合缺盆以下胷中貫鬲絡肝膽循脇故令人脇痛欬而汗出(顓)之六反刺足小指次指爪甲上與肉交者各一痏謂竅陰穴少陽

之井也刺可入同身寸之一分留一呼若灸者可灸三壯○新校正云按甲乙經竅陰在足小指次指之端去爪甲角如韭葉不得息立已汗出立止欬者温衣飲食一日已左刺右右刺左病立已不已復刺如法邪客於足少陰之絡令人嗌痛不可内食無故善怒氣上走賁上以其經支别者從肺出絡心注胸中入其正經從腎上貫肝鬲入肺中循喉嚨俠舌本故病令人嗌乾痛不可内食無故善怒氣上走賁上也賁謂氣奔也○新校正云詳王注以賁上爲氣奔者非按難經胃爲賁門楊玄操云賁鬲也是氣上走鬲上也經既云氣上走安得更以賁爲奔

上之解刺足下中央之脉各三痏凡六刺立已左刺右右刺左謂湧泉穴少陰之井也在足心陷者中屈足踡指宛宛中刺可入同身寸之三分留三呼若灸者可灸三壯嗌中腫不能內唾時不能出唾者刺然骨之前出血立已左刺右右刺左亦足少陰之絡也以其絡並大經喉嚨故爾刺之此二十九字本錯簡在邪客手足少陰太陰足陽明之絡前今遷於此○新校正云詳王注以其絡並大經循喉嚨差互按甲乙經足少陰之絡並經上走心包少陰之經循喉龍今王氏之注經與絡交互當以甲乙經爲正也邪客於足太陰之絡令人腰

痛引少腹控眇不可以仰息足太陰之絡從髀合陽明上貫尻骨中與厥陰少陽結於下髎而循尻骨内入腹上絡嗌貫肩中故腰痛則引少腹控於眇中也眇謂季脇下之空軟處也受邪氣則絡拘急故不可以仰伸而喘息也刺腰痛篇中無息字。新校正云詳王注云足太陰之絡按甲乙經乃太陰之正非絡也王氏謂之絡者未詳其旨刺腰尻之解兩胂之上是腰俞以月死生爲痏數發鍼立已左刺右右刺左腰尻骨間曰腰當中有腰俞刺可入同身寸之二寸。新校正云按氣府論注作二分刺熱論注作二分水穴篇注作二分熱穴篇注作二寸甲乙經作二寸留七呼注與甲乙經同中誥孔穴經云左取右右取左穴當中不應爾也夾腰下俠尻有空骨各四皆主腰痛下髎注與經同是足太陰厥陰少陽所結刺可入同身寸之二寸留十呼若灸者可灸三壯胂謂兩髁胂也腰俞髁胂皆當取之也○新校正云按此邪客足太陰之絡并刺法一項已見刺腰痛篇中彼注甚詳此特多是腰俞三字耳别按全元起本舊無此三字王氏頗知腰俞無左右取之理而注之而不知全元起本舊無

邪客於足太陽之絡令人拘攣背急引脇而痛以其經從髆内左右别下貫胂合膕中故病令人拘攣背急引脇而痛○新校正云按全元起本及甲乙經引脇而痛下更云内引心而痛

刺之從項始數脊椎俠脊疾按之應手

如痛刺之傍三痏立已從項始數脊椎者謂從大椎數之至第二椎兩傍各同身寸之一寸五分內循脊兩傍按之有痛應手則邪客之處也隨痛應手深淺卽而刺之邪客在脊骨兩傍故言刺之傍也邪客於足少陽之絡令人留於樞中痛髀不可舉以其經出氣衝繞髦際橫入髀厭中故痛令人留於髀樞後痛解不可舉樞謂髀樞刺樞中以毫鍼寒則久留鍼以月死生爲數立已髀樞之後則環銚穴也正在髀樞後故言刺髀樞後也環銚者足少陽脉氣所發刺可入同身寸之一寸留二呼若灸者可灸三壯毫鍼者第七鍼也○新校正云按甲乙經環銚在髀樞中氣穴論云在兩

髀厭分中此經云刺樞中而王氏以謂髀樞之後者誤也治諸經刺之所過者不病則繆刺之正言也經不病則邪在絡故繆刺之若經所過有病是則經病不當繆刺矣耳聾刺手陽明不已刺其通脉出耳前者手陽明謂前手大指次指去端如韭葉者也是謂商陽據中誥孔穴圖經手陽明脉中商陽合谷陽谿偏歷四穴並主耳聾今經所指謂前商陽不謂此合谷等穴也耳前通脉手陽明脉正當聽會之分可入同身寸之四分若灸者可灸三壯齒齲刺手陽明不已刺其脉入齒中者立已據甲乙經注圖經手陽明脉中商陽二間三間合谷陽谿偏歷温留七穴並主齒痛手陽

明脉貫頰入下齒中足陽明脉循鼻外入上齒中也齲丘禹反邪客於五藏
之間其病也脉引而痛時來時止視其病繆
刺之於手足爪甲上各刺其井左取右右取左視其脉出
其血間日一刺一刺不已五刺已有血脉者則刺之如
此數繆傳引上齒齒脣寒痛視其手背脉血者
去之若病繆傳而引上齒齒脣寒痛者刺手背陽明絡也足陽明中指
爪甲上一痏手大指次指爪甲上各一痏立
已左取右右取左謂第二指厲兑穴也手大指次指謂商陽穴手陽明

井也鍼經曰齒痛不惡清飲取足陽明惡清飲取手陽明○新校正云詳前文邪客足陽明刺中指次指爪甲上是誤剩次指二字當如此只言中指爪甲上乃是

邪客於手足少陰太陰足陽明之絡此五絡皆會於耳中上絡左角手少陰真心脉足少陰腎脉手太陰肺脉足太陰脾脉足陽明胃脉此五絡皆會於耳中而出絡左額角也

五絡俱竭令人身脉皆動而形無知也其狀若尸或曰尸厥言其卒冒悶而如死尸身脉猶如常人而動也然陰氣盛於上則下氣熏上而邪氣逆邪氣逆則陽氣亂陽氣亂則五絡閉結而不通故其狀若尸也以是從厥而生故或曰尸厥

刺

其足大指內側爪甲上去端如韭葉謂隱白穴足太陰之井也刺可入同身寸之一分留三呼若灸者可灸三壯後刺足心謂涌泉穴足少陰之井也刺同前取涌泉穴法後刺足中指爪甲上各一痏謂第二指足陽明之井也刺同前取厲兌穴法後刺手大指內側去端如韭葉謂少商穴手太陰之井也刺可入同身寸之一分留三呼若灸者可灸三壯後刺手心主謂中衝穴手心主之井也刺可入同身寸之一分留三呼若灸者可灸一壯○新校正云按甲乙經不刺手心主詳此五絡之數亦不及手心主而此刺之是有六絡未會王冰相隨注之不爲明辨之旨也少陰銳

骨之端各一痏立已謂神門穴在掌後銳骨之端陷者中手少陰之俞也刺可入同身寸之三分留七呼若灸者可灸三壯不已以竹管吹其兩耳言使氣入耳中內助五絡令氣復通也當內管入耳以手密擫之勿令氣泄而極吹之氣蹙然後絡脈通也○新校正云按陶隱居云吹其左耳極三度復吹其右耳三度也鬄其左角之髮方一寸燔治飲以美酒一杯不能飲者灌之立已左角之髮是五絡血之餘故鬄之燔治飲之以美酒也酒者所以行藥勢又炎上而內走於心心主脈故以美酒服之鬄音易

凡刺之數先視其經脈切而從之審其虛實

而調之不調者經刺之有痛而經不病者繆刺之因視其皮部有血絡者盡取之此繆刺之數也

○四時刺逆從論第六十四 新校正云按厥陰有餘至筋急目痛全元起本在第六卷春氣在經脈全篇末全元起本在第一卷

厥陰有餘病陰痺 痺謂痛也陰謂寒也有餘謂厥陰氣盛滿故陰發於外而爲寒痺○新校正云詳王氏以痺爲痛未通 不足病生熱痺 陰不足則陽有餘故爲熱痺 滑則病狐疝風濇則病少腹積

氣厥陰脉循股陰入髦中環陰器抵少腹又其絡支别者循脛上睪結於莖故爲狐疝少腹積氣也○新校正云按楊上善云狐夜不得尿日出方得人之所病與狐同故曰狐疝一曰狐疝謂三焦狐府爲疝故曰狐疝少陰有餘病皮痺隱軫不足病肺痺腎水逆連於肺母故也足少陰脉從腎上貫肝鬲入肺中故有餘病皮痺隱軫不足病肺痺也滑則病肺風疝濇則病積溲血以其正經入肺貫腎絡膀胱故爲肺疝及積溲血也太陰有餘病肉痺寒中不足病脾痺脾主肉故如是滑則病脾風疝濇則病積心腹時滿太陰之脉入腹屬脾絡胃其支别者復從胃别

上鬲注心中故爲脾痹心腹時滿也陽明有餘病脉痹身時熱
不足病心痹胃有餘則上歸於心不足則心下痹故爲是滑則病
心風疝濇則病積時善驚心主之脉起於胷中出屬心包下鬲
歷絡三焦故爲心疝時善驚太陽有餘病骨痹身重不足
病腎痹太陽與少陰爲表裏故有餘不足皆病歸於腎也滑則病腎
風疝濇則病積善時巔疾太陽之脉交於巔上入絡腦下循膂
絡腎故爲腎風及巔病也少陽有餘病筋痹脇滿不足病
肝痹少陽與厥陰爲表裏故病歸於肝滑則病肝風疝濇則

病積時筋急目痛肝主筋故時筋急厥陰之脉上出額與督脉會於巔其支別者從目系下頰裏故目痛是故春氣在經脉夏氣在孫絡長夏氣在肌肉秋氣在皮膚冬氣在骨髓中帝曰余願聞其故岐伯曰春者天氣始開地氣始泄凍解冰釋水行經通故人氣在脉夏者經滿氣溢入孫絡受血皮膚充實長夏者經絡皆盛內溢肌中秋者天氣始收腠理閉塞皮膚引急引謂牽引以縮急也冬者蓋藏血氣

在中內著骨髓通於五藏是故邪氣者常隨四時之氣血而入客也至其變化不可爲度然必從其經氣辟除其邪除其邪則亂氣不生得氣而調故不亂帝曰逆四時而生亂氣奈何岐伯曰春刺絡脉血氣外溢令人少氣血氣溢於外則中不足故少氣○新校正云按自春刺絡脉至令人目不明與診要經終論義同文異彼注甚詳於此彼分四時此分五時然此有長夏刺肌肉之分而逐時各闕刺秋分之事疑此肌肉之分即彼秋皮膚之分也春刺肌肉血氣環逆令人

上氣血逆氣上故上氣。新校正云按經闕春刺秋分春刺筋骨血氣內著令人腹脹內著不散故脹夏刺經脉血氣乃竭令人解㑊血氣竭少故解㑊然不可名之也解㑊謂寒不寒熱不熱壯不壯弱不弱故不可名之也夏刺肌肉血氣內却令人善恐却閉也血氣內閉則陽氣不通故善恐夏刺筋骨血氣上逆令人善怒血氣上逆則怒氣相應故善怒。新校正云按經闕夏刺秋分秋刺經脉血氣上逆令人善忘血氣上逆滿於肺中故善忘秋刺絡脉氣不外行新校正云按别本作血氣不行全元起本作氣不衛

外太素同令人臥不欲動以虛甚故。新校正云按經闕秋刺長夏分

秋刺筋骨血氣內散令人寒慄血氣內散則中氣虛故寒

慄冬刺經脈血氣皆脫令人目不明以血氣無所營

故也冬刺絡脈內氣外泄留為大痺冬刺肌肉

陽氣竭絕令人善忘陽氣不壯至春而竭故善忘。新校正云按經

闕冬刺秋分凡此四時刺者大逆之病新校正云按全元起

本作六經之病不可不從也反之則生亂氣相淫病

焉淫不次也不次而行如浸淫相染而生病也故刺不知四時之

經病之所生以從爲逆正氣内亂與精相薄必審九候正氣不亂精氣不轉不轉謂不逆轉也帝曰善刺五藏中心一日死其動爲噫診要經終論曰中心者環一死刺禁論曰一日死其動爲噫中肝五日死其動爲語診要經終論闕而不論刺禁論曰中肝五日死其動爲語○新校正云按甲乙經語作欠中肺三日死其動爲欬診要經終論曰中肺五日死刺禁論曰中肺三日死其動爲欬中腎六日死新校正云按甲乙經作三日其動爲嚏欠診要經終論曰中腎七日死刺禁論曰中腎六日死其動爲嚏○新校正

云按甲乙經無欠字中脾十日死新校正云按甲乙經作十五日其動爲吞診要經終論曰中脾五日死刺禁論曰中脾十日死其動爲吞然此三論皆歧伯之言而死日動變不同傳之誤也刺傷人五藏必死其動則依其藏之所變候知其死也變謂氣動變也中心不至此並爲逆從重文也

○標本病傳論篇第六十五新校正云按全元起本在第二卷皮部論篇前

黃帝問曰病有標本刺有逆從奈何歧伯對

曰凡刺之方必別陰陽前後相應逆從得施標本相移故曰有其在標而求之於標有其在本而求之於本有其在本而求之於標有其在標而求之於本故治有取標而得者有取本而得者有逆取而得者有從取而得者（得病之情知治大體則逆從皆可施必中焉）故知逆與從正行無問知標本者萬舉萬當（道不疑惑識既深明則無問於人正行皆當）不知標本是謂妄行（識猶偏淺道未高深舉且見違故行多妄）

夫陰陽逆從標本之爲道也小而大言一而知百病之害著之至也言别陰陽知逆順法明著見精微觀其所舉則小尋其所利則大以斯明著故言一而知百病之害少而多淺而博可以言一而知百也言少可以貫多舉淺可以料大者何法之明故非聖人之道孰能至於是邪故學之者猶可以言一而知百病也博大也以淺而知深察近而知遠言標與本易而勿及雖事極深玄人非咫尺略以淺近而悉貫之然標本之道雖易可爲言而世人識見無能及者治反爲逆治得爲從先病而後逆者治其本先逆而

後病者治其本先寒而後生病者治其本先病而後生寒者治其本先熱而後生病者治其本先熱而後生中滿者治其標先病而後泄者治其本先泄而後生他病者治其本必且調之乃治其他病先病而後生中滿者治其標先中滿而後煩心者治其本人有客氣有同氣新校正云按全元起本同作固小大不利治其標小大利治其本本先病標後病必謹察之病發而有餘本而

標之先治其本後治其標病發而不足標而本之先治其標後治其本本而標之謂有先病復有後病也以其有餘故先治其本後治其標也標而本之謂先發輕微緩者後發重大急者以其不足故先治其標後治其本也謹察間甚以意調之間謂多也甚謂少也多謂多形證而輕易少謂少形證而重難也以意調之謂審量標本不足有餘非謂捨法而以意妄爲調之也間者并行甚者獨行先小大不利而後生病者治其本并謂他脉共受邪氣而合病也獨爲一經受病而無異氣相參也并甚則相傳傳急則亦死夫病傳者心病先心

痛藏真通於心故心先痛一日而欬心火勝金傳於肺也肺在變動爲欬故爾三日脇支痛肺金勝木傳於肝也以其脈循脇肋故如是五日閉塞不通身痛體重肝木勝土傳於脾也脾性安鎮木氣乘之故閉塞不通身痛體重三日不已死以勝相伐唯弱是從五藏四傷豈其能久故爲即死冬夜半夏日中謂正子午之時也或言冬夏有異非也晝夜之半事甚昭然○新校正云按靈樞經大氣入藏病先發於心一日而之肺三日而之肝五日而之脾三日不已死冬夜半夏日中甲乙經曰病先發於心心痛一日之肺而欬三日之肝脇支痛五日之脾脾閉塞不通身病體重三日不已死冬夜半夏日中詳素問言其病

靈樞言其藏甲乙經及并素問靈樞二經之文而病與藏兼舉之肺病喘欬藏眞高於肺而主息故喘欬三日而脇支滿痛肺傳於肝一日身重體痛肝傳於脾五日而脹自傳於府十日不已死冬日入夏日出孟冬之中日入於申之八刻三分仲冬之中日入於申之七刻三分季冬之中日入於申與孟月等孟夏之中日出於寅之八刻一分仲夏之中日出於寅之七刻三分季夏之中日出於寅與孟月等也肝病頭目眩脇支滿藏眞散於肝脉內連目脇故如是三日體重身痛肝傳於脾五日而脹自傳於府三日腰脊少腹痛脛痠謂胃傳於腎以

其脉起於足循腨内出膕内廉上股内後廉貫脊屬腎絡膀胱故如是也腰爲腎之府故腰痛三日不已死冬日入新校正云按甲乙經作日中夏早食日入早晏如冬法也早食謂早於食時則卯正之時也脾病身痛體重藏眞濡於脾而主肌肉故爾一日而脹自傳於府二日少腹腰脊痛脛痠胃傳於腎三日背䏿筋痛小便閉自傳於府及之䏿也䏿音吕十日不已死冬人定夏晏食人定謂申後二十五刻晏食謂寅後二十五刻腎病少腹腰脊痛胻痠藏眞下於腎故如是三日背䏿筋痛小便閉自傳於府○新校正

云按靈樞經云之胎膀胱是自傳於府及之胎也三日腹脹膀胱傳小腸○新校正云按甲乙經三日上之心心脹三日兩脇支痛府傳於藏○新校正云按靈樞經云三日之小腸三日上之心今云兩脇支痛是小腸府傳心藏而發痛也三日不已死冬大晨夏晏晡大晨謂寅後九刻大明之時也晏晡謂申後九刻向昏之時也胃病脹滿以其脉循腹故如是五日少腹腰脊痛胻痠胃傳於腎三日背胎筋痛小便閉自傳於府及之胎也五日身體重膀胱水府傳於脾也○新校正云按靈樞經及甲乙經各云五日上之心是膀胱傳心爲相勝而身體重今王氏言傳脾者誤

也

六日不已死冬夜半後夏日昳夜半後謂子後八刻丑正時也日昳謂午後八刻未正時也昳徒結反膀胱病小便閉以其為津液之府故爾五日少腹脹腰脊痛胻痠自歸於藏一日腹脹腎復傳於小腸一日身體痛小腸傳於脾新校正云按靈樞經云一日上之心是府傳於藏也甲乙經作之脾與王注同二日不已死冬雞鳴夏下晡雞鳴謂早雞鳴丑正之分也下晡謂日下於晡時申之後五刻也諸病以次是相傳如是者皆有死期不可刺五藏相移皆如此有緩傳者有急傳者緩者或一歲二歲三歲而死其次或三

月若六月而死急者一日二日三日四日或五六日而死則此類也尋此病傳之法皆五行之氣考其日數理不相應夫以五行爲紀以不勝之數傳於所勝者謂火傳於金當云一日金傳於木當云二日木傳於土當云四日土傳於水當云三日水傳於火當云五日也若以巳勝之數傳於不勝者則木二日傳於土土五日傳於水水一日傳於火火二日傳於金金四日傳於木經之傳日似法三陰三陽之氣玉機眞藏論曰五藏相通移皆有次不治三月若六月若三日若六日傳而當死此與同也雖爾猶當臨病詳視日數方悉是非**間一藏止**新校正云按甲乙經無止字**及至三四藏者乃可刺也**間一藏止者謂隔過前一藏而不更傳也則謂木傳土土傳水水傳

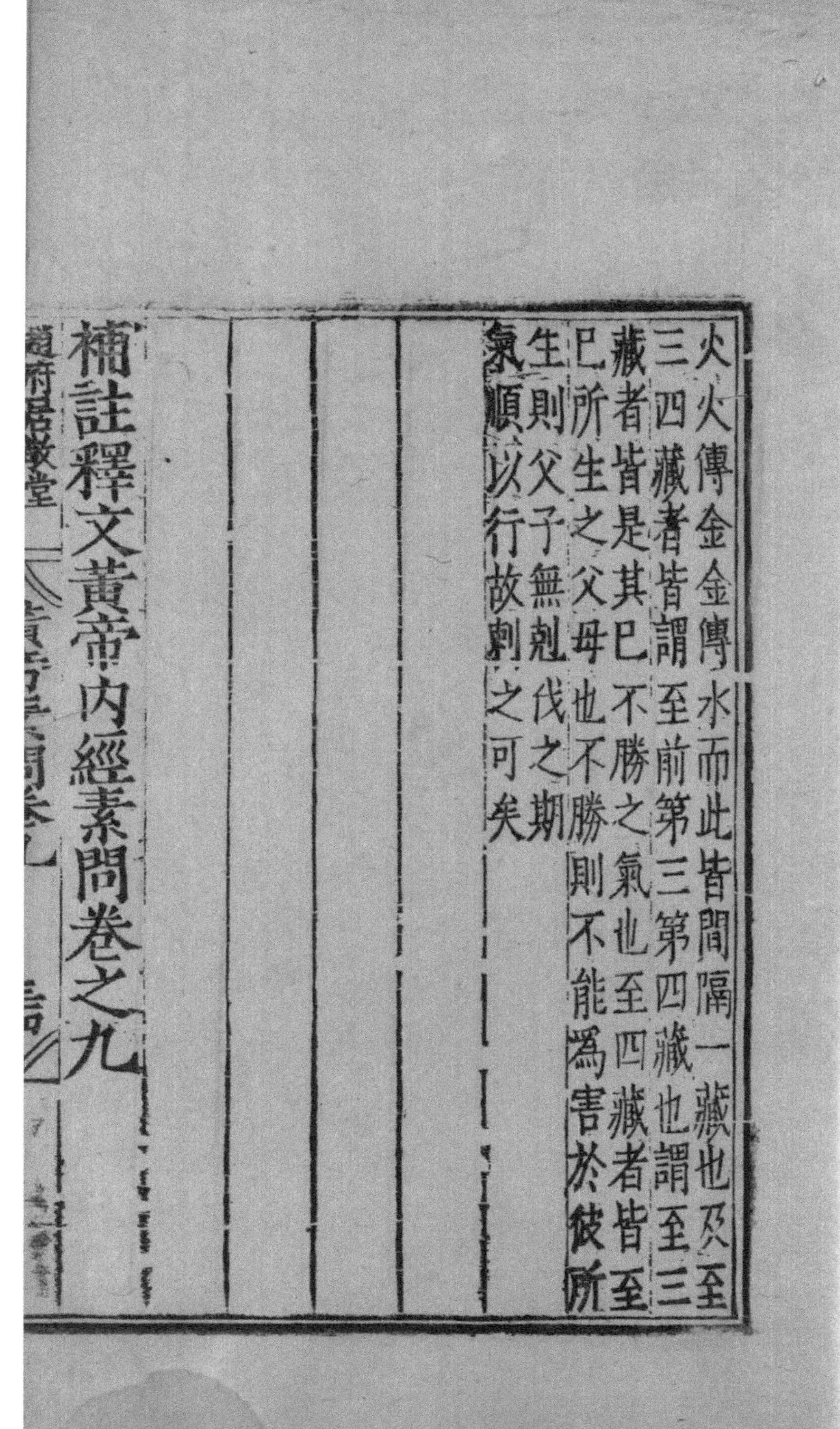

火火傳金金傳水而此皆間隔一藏也及至三四藏者皆謂至前第三第四藏也謂至三藏者皆是其已不勝之氣也至四藏者皆至已所生之父母也不勝則不能爲害於彼所生則父子無剋伐之期氣順以行故剌之可矣

補註釋文黃帝内經素問卷之九

趙府居敬堂　黃帝素問卷九

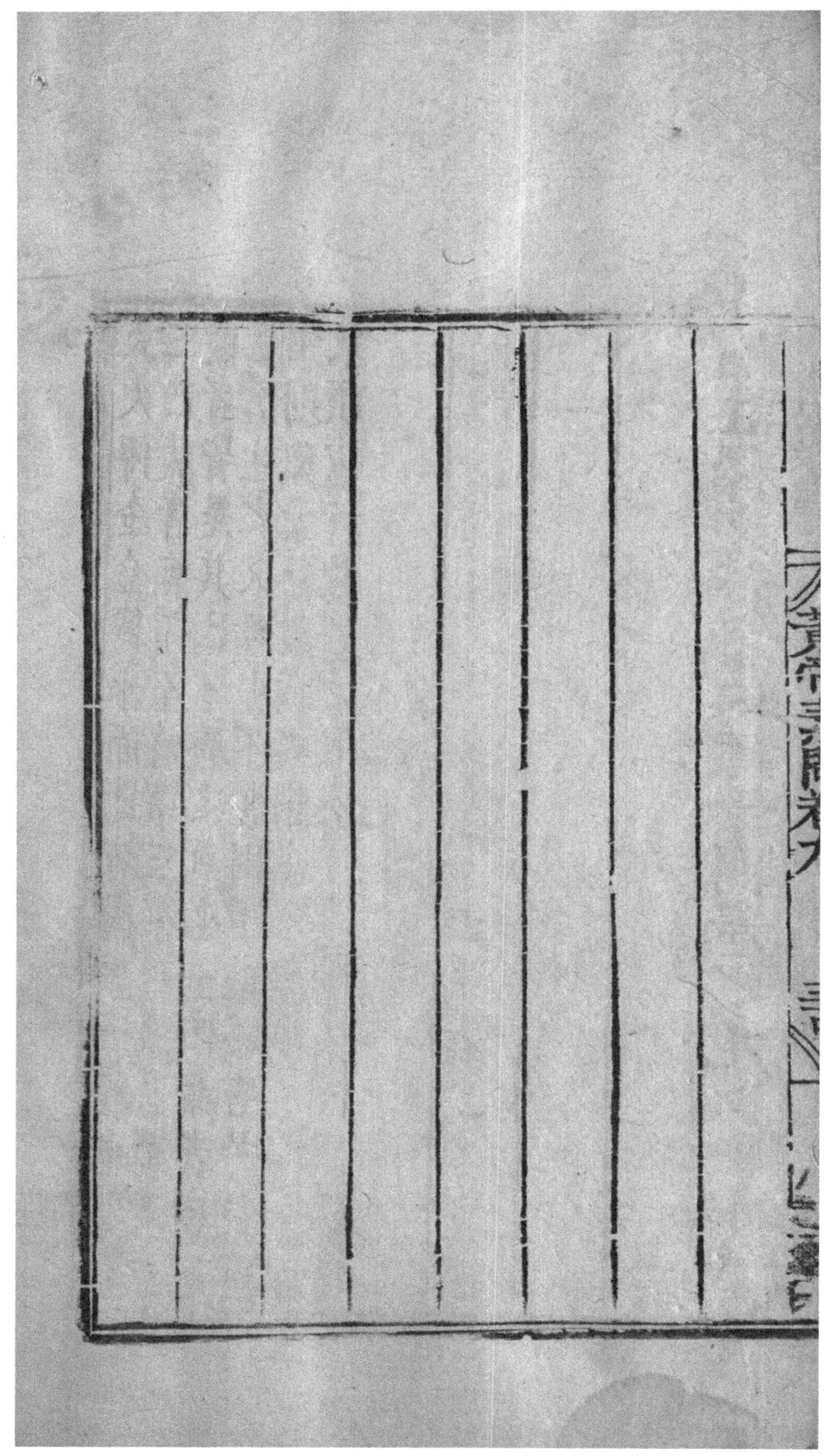

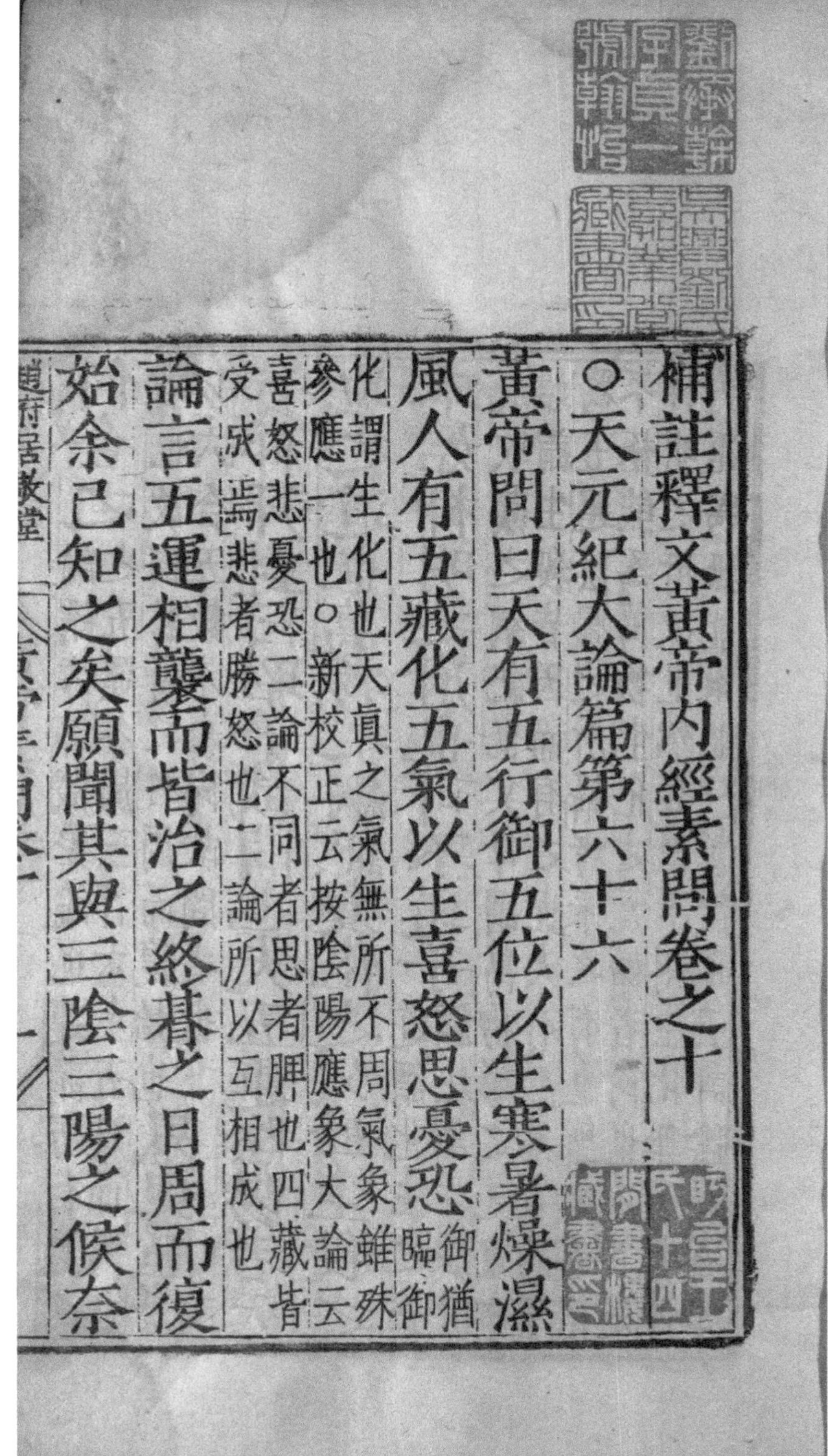

補註釋文黄帝内經素問卷之十

○天元紀大論篇第六十六

黄帝問曰天有五行御五位以生寒暑燥濕風人有五藏化五氣以生喜怒思憂恐御猶臨御化謂生化也天眞之氣無所不周氣象雖殊參應一也○新校正云按陰陽應象大論云喜怒悲憂恐二論不同者思者脾也四藏皆受成焉悲者勝怒也二論所以互相成也論言五運相襲而皆治之終朞之日周而復始余已知之矣願聞其與三陰三陽之候奈

趙府居敬堂

何合之論謂六節藏象論也運謂五行應天之五運各周三百六十五日而爲紀者也故曰終朞之日周而復始也以上六合五數未參同故問之也鬼臾區稽首再拜對曰昭乎哉問也夫五運陰陽者天地之道也萬物之綱紀變化之父母生殺之本始神明之府也可不通乎道謂化生之道綱紀謂生長化成收藏之綱紀也父母謂萬物形之先也本始謂生殺皆因而有之也夫有形禀氣而不爲五運陰陽之所攝者未之有也所以造化不極能爲萬物生化之元始者何也以其是神明之府故也然合散不測生化無窮非神明運爲無能爾也○新校正云詳陰陽者至

神明之府也與陰陽應象大論同而兩論之註頗異耳故物生謂之化物極謂之變陰陽不測謂之神神用無方謂之聖所謂化變聖神之道也化施化也變散易也神無期也聖無思也氣之施化故曰生氣之散易故曰極無期稟候故曰神無思測量故曰聖由化與變故萬物無能逃五運陰陽由聖與神故衆妙無能出幽玄之理深乎妙用不可得而稱之○新校正云按六微旨大論云物之生從於化物之極由乎變變化之相薄成敗之所由也又五常政大論云氣始而生化氣散而有形氣布而蕃育氣終而象變其致一也夫變化之爲用也應萬化之爲用在天爲玄玄遠也天道玄遠變化無窮傳曰天

道遠道通人在人爲道道謂妙用之道也經術政化非道不成在地爲化化謂生化也生萬物者地非土氣孕育則形質不成化生五味金石草木根葉華實酸苦甘淡辛鹹皆化氣所生隨時而有道生智智通妙用唯道所生玄生神玄遠幽深故生神也神之爲用觸遇玄通契物化成無不應也神在天爲風風者教之始天之使也天之號令也在地爲木東方之化在天爲熱應火爲用在地爲火南方之化在天爲濕應土爲用在地爲土中央之化在天爲燥應金爲用在地爲金西方之化在天爲寒應水爲用在地爲水北方之化神之爲用如上

五化木爲風所生火爲熱所熾金爲燥所發水爲寒所資土爲濕所全蓋初因而成立也雖初因之以化成卒因之以敗散爾豈五行之獨有是哉凡因所因而成立者悉因所因而散落爾○新校正云詳在天爲玄至此與陰陽應象大論及五運行大論文重注頗異

故在天爲氣在地成形氣謂風熱濕燥寒形謂木火土金水形氣相感而化生萬物矣此造化生成之大紀然天地者萬物之上下也天覆地載上下相臨萬物化生無遺略也由是故萬物自生自長自化自成自盈自虛自復自變也夫變者何謂生之氣極本而更始化也孔子曰曲成萬物而不遺左右者陰陽之道路也天有六氣御下地有

五行奉上當歲者爲上主司天承歲者爲下主司地不當歲者二氣居右北行轉之二氣居左南行轉之金木水火運北面正之常左爲右右爲左則左者南行右者北行而反也○新校正云詳上下左右之說義具五運行大論中**水火者陰陽之徵兆也**徵信也驗也兆先也以水火之寒熱彰信陰陽之先兆也**金木者生成之終始也**木主發生應春春爲生化之始金主收斂應秋秋爲成實之終終始不息其化常行故萬物生長化成收藏自久○新校正云按陰陽應象大論曰天地者萬物之上下也陰陽者血氣之男女左右者陰陽之道路水火者陰陽之徵兆陰陽者萬物之終始也與此論相出入也**氣有多少形有盛衰上下**

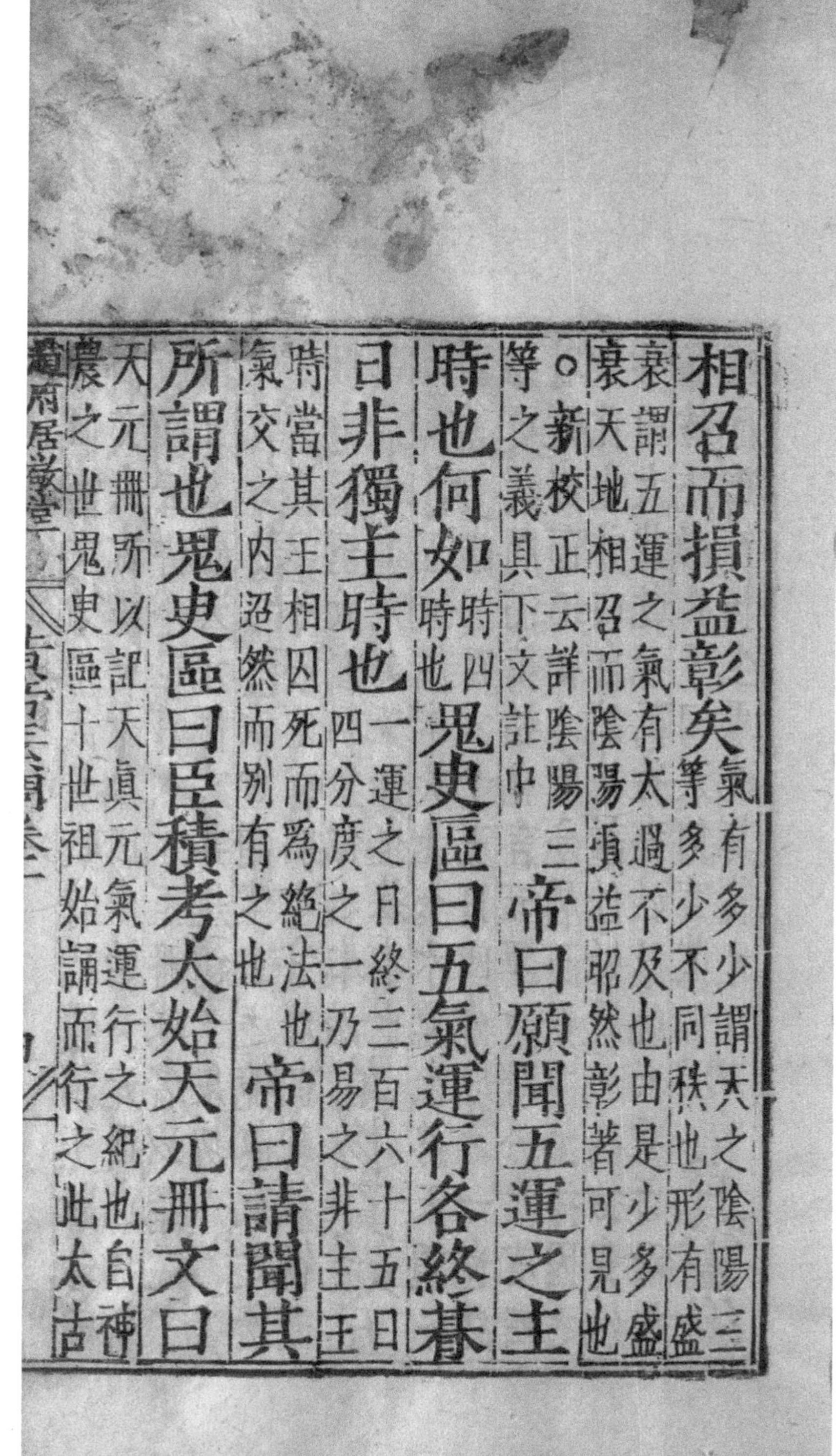

相召而損益彰矣氣有多少謂天之陰陽三等多少不同秩也形有盛衰謂五運之氣有太過不及也由是少多盛衰天地相召而陰陽須益昭然彰著可見也○新校正云詳陰陽三等之義具下文註中帝曰願聞五運之主時也何如時四時也鬼臾區曰五氣運行各終朞日非獨主時也一運之日終三百六十五日四分度之一乃易之非主王時當其王相囚死而爲絶法也氣交之内迢然而别有之也帝曰請聞其所謂也鬼臾區曰臣積考太始天元冊文曰天元冊所以記天眞元氣運行之紀也自神農之世鬼臾區十世祖始誦而行之此太古

占候靈文洎乎伏羲之時巳鐫諸玉版命曰冊文太古靈文故命曰太始天元冊也○新校正云詳今世有天元玉冊或者以謂即此太始天元冊文非是鐫子泉切

太虛廖廓肇基化元太虛謂空玄之境眞氣之所充神明之官府也眞氣精微無遠不至故能爲生化之本始運氣之眞元矣肇始也基本也

萬物資始五運終天五運謂木火土金水運也終天謂一歲三百六十五日四分度之一也終始更代周而復始也言五運更統於太虛四時隨部而遷復六氣分居而異主萬物因之以化生非曰自然其誰能始故曰萬物資始易曰大哉乾元萬物資始乃統天雲行雨施品物流形孔子曰天何言哉四時行焉百物生焉此其義也

布氣眞靈總

統坤元太虛眞氣無所不至也氣齊生有故稟氣含靈者抱眞氣以生焉總統坤元言天元氣常司地氣化生之道也易曰至哉坤元萬物資生乃順承天也九星懸朗七曜周旋九星上古之時也上古世質人淳歸眞返朴九星懸朗五運齊宣中古道德稍衰標星藏曜故計星之見者七焉九星謂天蓬天內天衝天輔天禽天心天任天柱天英此蓋從標而爲始遁甲式法今猶用焉七曜謂日月五星今外蕃多以此曆爲舉動吉凶之信也周謂周天之度旋謂左循天度而行五星之行猶各有進退高下小大矣曰陰曰陽曰柔曰剛陰陽天道也柔剛地道也天以陽生陰長地以柔化剛成也易曰立天之道曰陰與陽立地之道曰柔與剛此之謂也

幽顯既位寒暑弛張幽顯既位言人神各得其序寒暑弛張言陰陽不失其宜也人神各守所居無相干犯陰陽不失其序物得其宜天地之道且然人神之理亦猶也○新校正云按至真要大論云幽明何如歧伯曰兩陰交盡故曰幽兩陽合明故曰明幽明之配寒暑之異也生生化化品物咸章上生謂生之有情有識之類也下生謂生之無情無識之類也上化謂形容彰顯者也下化謂蔽匿形容者也有情有識彰顯形容天氣主之無情無識蔽匿形質地氣主之稟元靈氣之所化育爾易曰天地絪緼萬物化醇斯之謂歟臣斯十世此之謂也傳習斯文至鬼臾區十世于茲不敢失墜帝曰善何謂氣有多少形有

盛衰鬼臾區曰陰陽之氣各有多少故曰三陰三陽也由氣有多少故隨其升降分爲二別也○新校正云按至眞要大論云陰陽之三也何謂歧伯曰氣有多少異用王冰云太陰爲正陰太陽爲正陽次少者爲少陰次少者爲少陽又次爲陽明又次爲厥陰形有盛衰謂五行之治各有太過不及也太過有餘也不及不足也氣至不足太過迎之氣至太過不足隨之天地之氣虧盈如此故云形有盛衰也故其始也有餘而往不足隨之不足而往有餘從之知迎知隨氣可與期言虧盈無常互有勝負爾始謂甲子歲也六微旨大論曰

天氣始於甲地氣始於子子甲相合命曰歲立此之謂也則始甲子之歲三百六十五日所稟之氣當不足也次而推之終六甲也故有餘已則不足不足已則有餘亦有歲運非有餘非不足者蓋以同天地之化也若餘已復餘少已復少則天地之道變常而災害作苛疾生矣○新校正云按六微旨大論云木運臨卯火運臨午土運臨四季金運臨酉水運臨子所謂歲會氣之平也又按五常政大論云委和之紀上角與正角同上商與正商同上宮與正宮同伏明之紀上商與正商同卑監之紀上宮與正宮同上角與正角同從革之紀上商與正商同上角與正角同涸流之紀上宮與正宮同赫曦之紀上羽與正徵同堅成之紀上徵與正商同又六元正紀大論云不及而加同歲會已前諸歲並爲正歲

氣之平也今王注以同天之應天爲天符承化爲非有餘不足者非也

歲爲歲直三合爲治應天謂木運之歲上見厥陰火運之歲上見少陽少陰土運之歲上見太陰金運之歲上見陽明水運之歲上見太陽此五者天氣下降如合符運故曰應天爲天符也承歲謂木運之歲歲當亥卯火運之歲歲當寅午土運之歲歲當辰戌丑未金運之歲歲當巳酉水運之歲歲當申子此五者歲之所直故曰承歲爲歲直也三合謂火運之歲上見少陰年辰臨午土運之歲上見太陰年辰臨丑未金運之歲上見陽明年辰臨酉此三者天氣運氣與年辰俱會故云三合爲治也歲直亦曰歲位三合亦爲天符六微旨大論曰天符歲會曰太一天符謂天運與歲俱會也○新校正

云按天符歲會之詳具六微旨大論中又詳
火運上少陰年辰臨午即戊午歲也土運上
太陰年辰臨丑未即己丑己未歲也
金運上陽明年辰臨酉即乙酉歲也帝曰上
下相召奈何鬼臾區曰寒暑燥濕風火天之
陰陽也三陰三陽上奉之太陽爲寒少陽爲
暑陽明爲燥太陰
爲濕厥陰爲風少陰爲火皆
其元在天故曰天之陰陽也木火土金水火
地之陰陽也生長化收藏下應之木初氣也
火二氣也
相火三氣也土四氣也金五氣也水終氣也
以其在地應天故云下應也氣在地故曰地
之陰陽也○新校正云按六微旨大論曰地
理之應六節氣位何如岐伯曰顯明之右君

火之位退行一步相火治之復行一步土氣治之復行一步金氣治之復行一步水氣治之復行一步木氣治之此即木火土金水火地之陰陽之義也天以陽生陰長地以陽殺陰藏生長者天之道藏殺者地之道天陽主生故以陽生陰長地陰主殺故以陽殺陰藏天地雖高下不同而各有陰陽之運用也○新校正云詳此經與陰陽應象大論文重注頗異天有陰陽地亦有陰陽天有陰故能下降地有陽故能上騰是以各有陰陽也陰陽交泰故化變由之成也木火土金水火地之陰陽也生長化收藏故陽中有陰陰中有陽陰陽之氣極則過亢故各兼之陰陽應象大論曰寒極生

熱熱極生寒又曰重陰必陽重陽必陰言氣
極則變也故陽中兼陰陰中兼陽易之卦離
中虛坎中滿
此其義象也所以欲知天地之陰陽者應天
之氣動而不息故五歲而右遷應地之氣靜
而守位故六朞而環會天有六氣地有五位
天以六氣臨地地以
五位承天天蓋以天氣不加君火故也以六加
五則五歲而餘一歲故遷一位若以五承六
則常六歲乃備盡天元之氣故六年而環會
所謂周而復始也地氣左行往而不返天氣
東轉常自火運數五歲巳其炎氣正當君火
之上法不加臨則右遷君火氣上以臨相火
之上故曰五歲而右遷也由斯動靜上下
相臨而天地萬物之情變化之機可見矣
動

靜相召上下相臨陰陽相錯而變由生也天地之道變化之微其由是也孔子曰天地設位而易行乎其中此之謂也○新校正云按五運行大論云上下相遘寒暑相臨氣相得則和不相得則病又云上者右行下者左行左右周天餘而復會帝曰上下周紀其有數乎鬼臾區曰天以六爲節地以五爲制周天氣者六朞爲一備終地紀者五歲爲一周六節謂六氣之分五制謂五位之分位應一歲氣統一年故五歲爲一周六年爲一備備謂備歷天氣周謂周行地位所以地位六而言五者天氣不臨君火故也君火以明相火以位

君火在相火之右但立名於君位不立歲氣故天之以氣不偶其氣以行君火之正守位而奉天之命以宣行火令爾以名奉天故曰君火以守名位禀命故五相火以位五六相合而七百二十氣爲一紀凡三十歲千四百四十氣凡六十歲而爲一周不及太過斯皆見矣歷法一氣十五日因而乘之積七百二十氣即三十年積千四百四十氣即六十年也經云有餘而往不足隨之不足而往有餘從之故六十年中不及太過斯皆見矣○新校正云按六節藏象論云五日謂之候三候謂之氣六氣謂之時四時謂之歲而各從其主治焉五運相襲而皆治之終朞之日周而復始時立布氣如環無端候

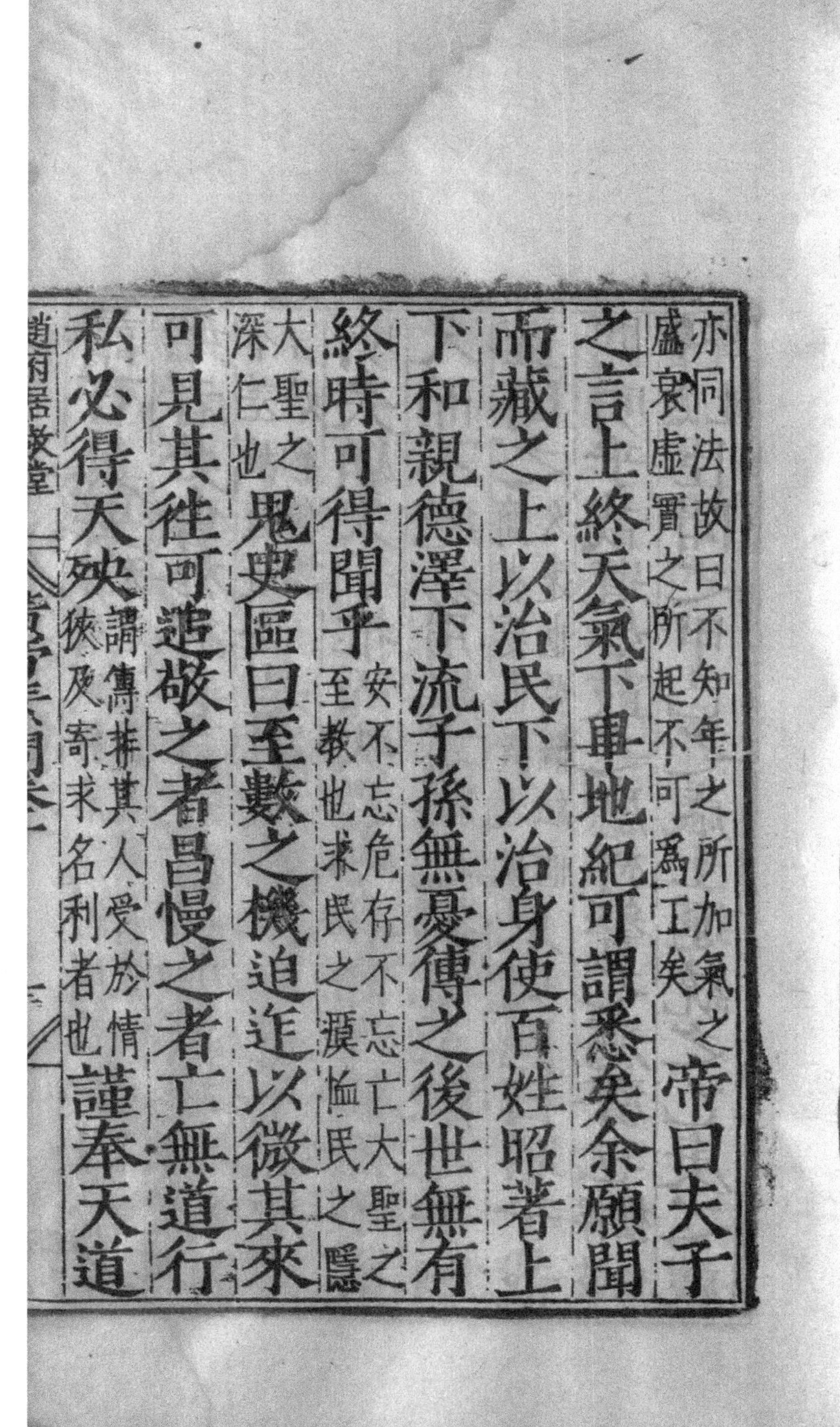

（亦同法故曰不知年之所加氣之盛衰虛實之所起不可爲工矣）帝曰夫子之言上終天氣下畢地紀可謂悉矣余願聞而藏之上以治民下以治身使百姓昭著上下和親德澤下流子孫無憂傳之後世無有終時可得聞乎（安不忘危存不忘亡大聖之至教也求民之瘼恤民之隱大聖之深仁也）鬼臾區曰至數之機迫迮以微其來可見其往可追敬之者昌慢之者亡無道行私必得天殃（謂傳非其人受於情狹及寄求名利者也）謹奉天道

請言眞要申誓戒於君主乃明言天道至眞之要旨也帝曰善言始者必會於終善言近者必知其遠數術明著應用不差故遠近於言始終無謬是則至數極而道不惑所謂明矣願夫子推而次之令有條理簡而不匱久而不絶易用難忘爲之綱紀至數之要願盡聞之簡省要也匱乏之也久遠也要樞紐也鬼臾區曰昭乎哉問明乎哉道如鼓之應桴響之應聲也桴鼓椎也響應聲也臣聞之甲己之歲土運統之乙庚之歲

金運統之丙辛之歲水運統之丁壬之歲木運統之戊癸之歲火運統之太始天地初分之時陰陽析位之際天分五氣地列五行五行定位布政於四方五氣分流散支於十干當是黃氣橫於甲己白氣橫於乙庚黑氣橫於丙辛青氣橫於丁壬赤氣橫於戊癸故甲己應土運乙庚應金運丙辛應水運丁壬應木運戊癸應火運太古聖人望氣以書天冊賢者謹奉以紀天元下論文義備矣○新校正云詳運有太過不及平氣甲庚丙壬戊主太過乙辛丁癸己主不及大法如此取平氣之法其說不一具如諸篇帝曰其於三陰三陽合之奈何鬼臾區曰子午之歲上見少

陰丑未之歲上見太陰寅申之歲上見少陽卯酉之歲上見陽明辰戌之歲上見太陽巳亥之歲上見厥陰少陰所謂標也厥陰所謂終也標謂上首也終謂當三甲六甲之終○新校正云詳午未申酉戌亥之歲爲正化正司化令之實子丑寅卯辰巳之歲爲對化對司化令之虛此其大法也厥陰之上風氣主之少陰之上熱氣主之太陰之上濕氣主之少陽之上相火主之陽明之上燥氣主之太陽之上寒氣主之所謂本也是

謂六元三陰三陽爲標寒暑燥濕風火爲本故云所謂本也天眞元氣分爲六化以統坤元生成之用徵其應相則六化不同本其所生則正是眞元之一氣故曰六元也○新校正云按別本六元作天元帝曰光乎哉道明乎哉論請著之玉版藏之金匱署曰天元紀

○五運行大論篇第六十七

黃帝坐明堂始正天綱臨觀八極考建五常明堂布政宮也八極八方目極之所也考謂考校建謂建立也五常謂五氣行天地之中者也端居正氣以候天和請天師而問之曰論言天地之

動靜神明爲之紀陰陽之升降寒暑彰其兆新校正云詳論謂陰陽應象大論及氣交變大論文彼云陰陽之往復寒暑彰其兆余聞五運之數於夫子夫子之所言正五氣之各主歲耳首甲定運余因論之鬼臾區曰土主甲己金主乙庚水主丙辛木主丁壬火主戊癸子午之上少陰主之丑未之上太陰主之寅申之上少陽主之卯酉之上陽明主之辰戌之上太陽主之巳亥之上厥陰主之不

合陰陽其故何也首甲謂六甲之初則甲子年也岐伯曰是明道也此天地之陰陽也上古聖人仰觀天象以正陰陽夫陰陽之道非不昭然而人昧宗元迷其本始則百端疑議從是而生黃帝恐至理真宗便因誣廢愍念黎庶故啓問曰天師知道出從真必非謬述故對上曰是明道也此天地之陰陽也陰陽法曰甲巳合乙庚合丙辛合丁壬合戊癸合蓋取聖人仰觀天象之義不然則十干之位各在一方徵其離合事亦寥闊嗚呼遠哉百姓日用而不知爾故太上立言曰吾言甚易知甚易行天下莫能知莫能行此其類也○新校正云詳金主乙庚者乙者庚之柔庚者乙之剛大而言之陰與陽小而夫言之夫與婦是剛柔之事也餘並如此

數之可數者人中之陰陽也然所合數之可得者也夫陰陽者數之可十推之可百數之可千推之可萬天地陰陽者不以數推以象之謂也言智識褊淺不見原由雖所指彌遠其知彌近得其元始桴鼓非遥帝曰願聞其所始也岐伯曰昭乎哉問也臣覽太始天元冊文丹天之氣經于牛女戊分黅天之氣經于心尾已分蒼天之氣經于危室柳鬼素天之氣經于亢氐昴畢玄天之氣經

于張翼軫胃所謂戊己分者奎壁角軫則天地之門戶也（戊土屬乾己土屬巽遁甲經曰六戊爲天門六己爲地戶晨暮占雨以西北東南義取此雨爲土用濕氣生之故此占焉）夫候之所始道之所生不可不通也帝曰善論言天地者萬物之上下左右者陰陽之道路未知其所謂也（論謂天元紀及陰陽應象論也）岐伯曰所謂上下者歲上下見陰陽之所在也左右者諸上見厥陰左少陰右太陽見少陰左太陰右厥陰見太陰

左少陽右少陰見少陽左陽明右太陰見陽明左太陽右少陽見太陽左厥陰右陽明所謂面北而命其位言其見也（面向北而言之也上南也下北也左西也右東也）帝曰何謂下歧伯曰厥陰在上則少陽在下左陽明右太陰少陰在上則陽明在下左太陽右少陽太陰在上則太陽在下左厥陰右陽明少陽在上則厥陰在下左少陰右太陽陽明在上則少陰在下左太陰右

厥陰太陽在上則太陰在下左少陽右少陰所謂面南而命其位言其見也主歲者位在南故面北而言其左右在下者位在北故面南而言其左右也上天位也下地位也面南左東也右西也上下異而左右殊也上下相遘寒暑相臨氣相得則和不相得則病木火相臨金水相臨水木相臨火土相臨土金相臨爲相得也木土相臨土水相臨水火相臨火金相臨金木相臨爲不相得也上臨下爲順下臨上爲逆亦鬱抑而病生土臨相火君火之類者也帝曰氣相得而病者何也岐伯曰以下臨上不當位也六位相臨假令

土臨火火臨木木臨水水臨金金臨土皆爲以下臨上不當位也父子之義子爲下父爲上以子臨父不亦逆乎

帝曰：動靜何如？言天地之行左右也

岐伯曰：上者右行，下者左行，左右周天，餘而復會也。上天也下地也周天謂天周地五行之位也天垂六氣地布五行天順地而左迴地承天而右轉木運之後天氣常餘餘氣不加於君火却退一步加臨相火之上是以每五歲已退一位而右遷故曰左右周天餘而復會會遇也合也言天地之道常五歲畢則以餘氣遷加復與五行座位再相會合而爲歲法也周天謂天周地位非周天之六氣也

帝曰：余聞鬼臾區曰應地者靜，今夫子乃言

下者左行不知其所謂也願聞何以生之乎詰異也。新校正云按鬼臾區言應地者靜見天元紀大論中岐伯曰天地動靜五行遷復雖鬼臾區其上候而已猶不能徧明不能徧明無求備矣夫變化之用天垂象地成形七曜緯虛五行麗地地者所以載生成之形類也虛者所以列應天之精氣也形精之動猶根本之與枝葉也仰觀其象雖遠可知也觀五星之東轉則地體左行之理昭然可知也麗著也有形之物未有不依據物而得全者也帝曰地之爲下否乎言轉不居爲下乎爲否乎岐伯曰地爲人之下太虚之中者也言人之所居可謂下矣微其至理則是太虚之中一物爾易曰坤厚載物德合無疆此之謂也帝曰馮乎言太虚無礙地體何馮而止任㊂馮扶冰反㊂礙音艾岐伯曰大氣舉之也大氣謂造化之氣任持太虚者也所以太虚不屈地久天長者蓋由造化之氣任持之也氣化而變不任持之則太虚之器亦敗壞矣夫落葉飛空不疾而下爲其乘氣故勢不得速焉凡之有形處地之上者皆有生化之氣任持之也然器有大小不同壞有遲速之異及至氣不任持則大小之壞一也燥以乾之暑以蒸之風

以動之，濕以潤之，寒以堅之，火以溫之。故風寒在下，燥熱在上，濕氣在中，火游行其間，寒暑六入，故令虛而化生也。（地體之中凡有六入：一曰燥，二曰暑，三曰風，四曰濕，五曰寒，六曰火。受燥故乾性生焉，受暑故烝性生焉，受風故動性生焉，受濕故潤性生焉，受寒故堅性生焉，受火故溫性生焉，此謂天之六氣也。）故燥勝則地乾，暑勝則地熱，風勝則地動，濕勝則地泥，寒勝則地裂，火勝則地固矣。（六氣之用。）帝曰：天地之氣，何以候之？岐伯曰：天地之氣，勝復之作不形於診也言平氣及勝復皆以形證觀察不以診知也脉法曰天地之變無以脉診此之謂也天地以氣不以位故不當以脉知之帝曰間氣何如岐伯曰隨氣所在期於左右於左右尺寸四部分位承之以知應與不應過與不過也帝曰期之奈何岐伯曰從其氣則和違其氣則病謂當沈不沈當浮不浮當濇不濇當鉤不鉤當弦不弦當大不大之類也○新校正云按至真要大論云厥陰之至其脉弦少陰之至其脉鉤太陰之至其脉沈少陽之至大而浮陽明之至短而濇太陽之至大而長至而和則平至而甚則病至而反則病至而不至者病未

至而至者病陰陽昜者危不當其位者病見於他位也迭移其位者病謂左見右脈右見左脈氣差錯故爾失守其位者危巳見於他鄉本宮見賊殺之氣故病危尺寸反者死子午卯酉四歲有之反謂歲當陰在寸脈而反見於尺歲當陽在尺而脈反見於寸尺寸俱乃謂反也若尺獨然或寸獨然是不應氣非反也陰陽交者死寅申亥巳丑未辰戌八年有之交謂歲當陰在右脈反見左歲當陽在左脈反見右左右交見是謂交若左獨然或右獨然是不應氣非交也先立其年以知其氣左右應見然後乃可以言死生之逆順經言歲氣備矣○新校正云詳此備六元

黄帝素問卷十

正紀大論中帝曰寒暑燥濕風火在人合之奈何
其於萬物何以生化合謂中外相應生謂承化而生化謂成立衆象
也岐伯曰東方生風東者日之初風者教之始天之使也所以發號
施令故生自東方也景霽山昏蒼埃際合崖
谷若一巖岫之風也黃白昏埃晚空如堵獨
見天垂川澤之風也加以黃
黑白埃承下山澤之猛風也風生木湯升風鼓草木
敷榮故曰風生木也此和氣之生化也若風
氣施化則飄揚敷折其爲變極則木拔草除
也運乘丁卯丁丑丁亥丁酉丁未丁巳之歲
則風化不足若乘壬申壬午壬辰壬寅壬子
壬戌之歲則風化有餘於萬物也○新校正
云詳王注以丁壬分運之有餘不足或者以

丁卯丁亥丁巳壬申壬寅五歲爲天符同天符正歲會非有餘不足爲平木運以王注爲非是不知大統也必欲細分雖除此五歲亦未爲盡下文火土金水運等並同此**木生酸**萬物味酸者皆始自木氣之生化也**酸生肝**酸味入胃生養於肝藏**肝生筋**酸味入肝自肝藏布化生成於筋膜也**筋生心**酸氣榮養筋膜畢已自筋流化乃入於心**其在天爲玄**玄謂玄冥也丑之終東方白寅之初天色反黑太虛皆闇在天爲玄象可見○新校正云詳在天爲玄至化生氣七句通言六氣五行生化之大法非東方獨有之也而王注玄謂丑之終寅之初天色黑則專言在東方不兼諸方此注未通**在人爲道**正理之道生養之正化也**在地爲**

化化生化也有生化而後有萬物萬物無非化氣以生成者**化生五味**金玉土石草木菜果根莖枝葉花穀實核無識之類皆地化生也**道生智**智正知也慮遠也知正則不疑於事慮遠則不涉於危以道處之理符於智靈樞經曰因慮而處物謂之智**玄生神**神用無方深微莫測迹見形隱物鮮能期由是則玄冥之中神明棲據隱而不見玄生神明也**化生氣**飛走蚑行鱗介毛倮羽五類變化內屬神機雖爲五味所該然其生稟則異故又曰化生氣也此上七句通言六氣五行生化之大法非獨東方有之也○新校正云按陰陽應象大論及天元紀大論無化生氣一句倮音果**神在天爲風**鳴紊啓折風之化也振拉摧拔風之用也歲屬厥陰在上

則風化於天厥陰在下則風行於地**在地爲木**長短曲直木之體也榦舉機發木之用也**在體爲筋**維結束絡筋之體也繻縱卷舒筋之用也**在氣爲柔**木化宣發風化所行則物體柔耎**在藏爲肝**肝有二布葉一小葉如木甲折之象也各有支絡脉遊中以宣發陽和之氣魂之宫也爲將軍之官謀慮出焉乘丁歲則肝藏及經絡見受邪而爲病也膽府同**其性爲暄**暄温也肝木之性也**其德爲和**敷布和氣於萬物木之德也○新校正云按氣交變大論云其德敷和**其用爲動**風搖而動無風則萬類皆靜○新校正云按木之用爲動火太過之政亦爲動蓋木火之主暴速故俱爲動**其色爲蒼**有形之類乘木之化

則外色皆見薄青之色今東方之地草木之上色皆蒼遇丁歲則蒼物兼白及黃色不純也其化爲榮榮美色也四時之中物見華榮顏色鮮麗者皆木化之所生也○新校正云按氣交變大論云其化生榮其蟲毛萬物發生如毛在皮其政爲散發散生氣於萬物○新校正云按氣交變大論云其政舒卷詳木之政散平木之政發散木大過之政散土不及之氣散金之用散落木之災散落所以爲散之異有六而散之義唯二一謂發散之散是木之氣也二謂散落之散是金之氣所爲也其令宣發陽和之氣舒而散也其變摧拉摧拔成者也○新校正云按氣交變大論云其變振發其眚爲隕隕墜也大風暴起草泯木墜○新校正云按氣

交變大論云其災散落青所景反其味爲酸夫物之化之變而有酸味者皆木氣之所成敗也今東方之野生味多酸其志爲怒怒直聲也怒所以威物怒傷肝凡物之用極皆自傷也怒發於肝而反傷肝藏悲勝怒悲發而怒止勝之信也○新校正云詳五志悲當爲憂蓋憂傷意悲傷魂故云悲勝怒也風傷肝亦猶風之折木也風生於木而反折之用極而衰○新校正云按陰陽應象大論云風傷筋燥勝風風自木生燥爲金化風餘則制之以燥肝盛則治之以涼涼清所行金之氣也酸傷筋酸寫肝氣寫甚則傷其氣靈樞經曰酸走筋筋病無多食酸以此爾走筋謂宣行其氣速疾也氣血肉骨同○新校正云詳註云靈樞經云乃是素

問宣明五氣篇於文按甲乙經云以此爲素問王註云靈樞經者誤**辛勝酸**辛金味故勝木之酸酸餘故勝之以辛也**南方生熱**陽盛所生相火君火之政也太虛昏翳其若輕塵山川悉然熱之氣也太明不彰其色如丹鬱熱之氣也若形雲暴升嶷然葉積乍盈乍縮崖谷之熱也**熱生火**熱甚之氣火運盛明故曰熱生火火者盛陽之生化也熱氣施化則寒暑鬱燠其爲變極則燔灼消融運乘癸酉癸未癸巳癸卯癸丑癸亥歲則熱化不足若乘戊辰戊寅戊子戊戌戊申戊午歲則熱化有餘火有君火相火故曰熱生火又云火也**火生苦**物之味苦者皆始自火之生化也甘物遇火體焦則苦苦從火化其可徵也**苦生心**苦物入胃化入於心故諸癸歲則苦化少

諸戊歲則苦化多心生血苦味自心化已則布化生血脈血生脾苦味
營血已自血流化生養脾也其在天爲熱亦神化氣也暄暑鬱蒸熱之化
也炎赫沸騰熱之用也歲屬少陰少陽在上則熱化於天在下則熱行於地也在地
爲火光顯炳明火之體也燔燎焦然火之用也在體爲脈流行血氣脈之
體也壅泄虛實脈之用也絡脈同在氣爲息息長也在藏爲心
心形如未敷蓮花中有九空以導引天真之氣神之宇也爲君主之官神明出焉乘癸歲
則心與經絡受邪而爲病小腸府亦然其性爲暑暑熱也心之氣性也其
德爲顯明顯見象定而可取火之德也○新校正云按氣交變大論云其德彰顯

其用爲躁火性躁動不專定也其色爲赤生化之物乘火化者悉表備赭丹之色今南方之地草木之上皆兼赤色乘癸歲則赤色之物兼黑及白也其化爲茂茂蕃盛也○新校正云按氣交變大論云其化蕃茂其蟲羽參差長短象火之形其政爲明明曜彰見無所蔽匿火之政也○新校正云按氣交變大論云其政明曜又按火之政明水之氣明水火異而明明同者火之明明于外水之明明于內明雖同而實異也其令鬱蒸鬱盛也蒸熱也言盛熱氣如蒸也○新校正云詳注謂鬱爲盛其義未安按王冰注五常政大論云鬱謂鬱燠不舒暢也當如此解也其變炎爍熱甚炎赫爍石流金火之極變也○新校正云按氣交變大論

云其變銷爍其青燔焫燔焫山川旋及屋宇火之災也。新校正云按氣交變大論云其災燔焫（眚）所景反其味爲苦物之化之變而有苦味者皆火氣之所合散也今南方之野生物多苦其志爲喜喜悅樂也悅以和志喜傷心言其過也喜發於心而反傷心亦由風之折木也過則氣竭故見傷也恐勝喜恐至則喜樂皆泯勝喜之理目擊道存恐則水之氣也熱傷氣天熱則氣伏不見人熱則氣促喘急熱之傷氣理亦可徵此皆謂大熱也小熱之氣猶生諸氣也陰陽應象大論云壯火散氣少火生氣此其義也寒勝熱寒勝則熱退陰盛則陽衰制熱以寒是求勝也苦傷氣大凡如此爾苦之傷氣以其燥也若加以熱則傷尤甚也何以明之飲酒氣促多則喘急此其信也苦寒之物偏服歲久益火滋甚亦傷氣也暫以方治乃同少火反生氣也○新校正云詳此論所傷之旨有三東方曰風傷肝酸傷筋中央曰濕傷肉甘傷脾西方曰辛傷皮毛是自傷者也南方曰熱傷氣苦傷氣北方曰寒傷血鹹傷血是傷已所勝也西方曰熱傷皮毛是被勝傷已也凡此五方所傷之例有三若太素則俱云自傷焉

鹹勝苦 酒得鹽而解物理昭然火苦之勝制以水鹹

中央生濕 中央土也高山土濕泉出地中水源山隈雲生巖谷則其象也夫性內蘊動而爲用則雨降雲騰中央生濕不遠信矣故歷候記土潤溽暑於六月謂是也溽音辱

濕生土 濕氣內蘊土體乃全濕則土生乾則土死死則庶類凋零生則萬物

滋榮此濕氣之化爾濕氣施化則土宅而雲騰雨降其爲變極則驟注土崩也運乘己巳己卯己丑己亥己酉己未之歲則濕化不足乘甲子甲戌甲申甲午甲辰甲寅之歲則濕化有餘也土生甘物之味甘者皆始自土之生化也甘生脾甘物入胃先入於脾故諸己歲則甘少化諸甲歲甘多化脾生肉甘味入脾自脾藏布化長生脂肉肉生肺甘氣營肉已自肉流化乃生養肺藏也其在天爲濕言神化也柔潤重澤濕之化也埃鬱雲雨濕之用也歲屬太陰在上則濕化於天太陰在下則濕化於地在地爲土敦靜安鎮聚散復形羣品以生土之體也含垢匿穢靜而下民爲變化母土之德也○新校正云詳注云靜而下民爲土之德下民之義

恐字誤也。**在體爲肉**覆裹筋骨氣發其間肉之用也踈密不時中外否閉肉之動也**在氣爲充**土氣施化則萬象盈**在藏爲脾**形象馬蹄內包胃脘象土形也經絡之氣交歸於中以營運真靈之氣意之舍也爲倉廩之官化物出焉乗己歲則脾及經絡受邪而爲病○新校正云詳肝心肺腎四藏注各言府同獨此注不言胃府同者闕文也**其性靜兼**兼謂兼寒熱暄涼之氣也白虎通曰脾之爲言并也謂四氣并之也**其德爲濡**津溫潤澤土之德也○新校正云按氣交變大論云其德溽蒸**其用爲化**化謂兼諸四化并已爲五化所謂風化熱化燥化寒化周萬物而爲生長化成收藏也**其色爲黄**物乘土化則表見黅黄之色今中央之地草木之上，皆兼黃色，乘巳歲則黃色之物兼蒼及黑。黅音今。其化爲盈，盈滿也。土化所及，則萬物盈滿。○新校正云：按氣交變大論云：其化豐備。其蟲倮，倮露皮革，無毛介也。其政爲謐，謐靜也，土性安靜。○新校正云：按氣交變大論云：其政安靜。詳土之政謐，水大過其政謐者，蓋水大過而土下承之，故其政亦謐。其令雲雨，濕氣布化之所成。其變動注，動反靜也。地之動則土失性，風搖不安；注，雨久下也。久則坦岓復爲土矣。○新校正云：按氣交變大論云：其變驟注。其眚淫潰，淫久雨也，潰土崩潰也。○新校正云：按氣交變大論云：其災霖潰。其味爲甘，物之化之變而有甘味者，皆土化之所終始也。今中原之地，故物味多甘。

淡其志爲思思以成務。新校正云按靈樞經曰因志而存變謂之思思傷脾思勞於智過則傷脾怒勝思怒則不思忿而忘禍則勝可知矣思甚不解以怒制之調性之道也濕傷肉濕甚爲水水盈則腫水下去已形肉已消傷肉之驗近可知矣風勝濕風爲木氣故勝土濕濕甚則制之以風甘傷脾過節也。新校正云按陰陽應象大論云甘傷肉酸勝甘甘餘則制之以酸所以救脾氣也西方生燥陽氣已降陰氣復升氣爽風勁故生燥也夫嵒谷青埃川原蒼翠煙浮草樹遠望氤氳此金氣所生燥之化也夜起白朦輕如微霧遐邇一色星月皎如此萬物陰成亦金氣所生白露之氣也太虛埃昏氣鬱黃黑視不見遠無風自行從

陰之陽如雲如霧此殺氣也亦金氣所生霜
之氣也山谷川澤濁昏如霧氣鬱蓬勃慘然
戚然咫尺不分此殺氣將用亦金氣所生運
之氣也大雨大霖和氣西起雲卷陽曜太虛
廓清燥生西方義可徵也若西風大起木偃
雲騰是為燥與濕爭氣不勝也故當復雨然
西方雨晴天之常氣假有東風雨止必有西
風復雨因雨而迺自晴觀是之為則氣有往
復動有燥濕變化之象不同其用矣由此則
天地之氣以和為勝暴發奔驟氣所不勝則
多為復也**燥生金**氣勁風切金鳴聲遠燥生之信
視聽可知此則燥化能令萬物
堅定也燥之施化於物如是其為變極則天
地悽慘肅殺氣行人悉畏之草木凋落運乘
乙丑乙卯乙巳乙未乙酉乙亥之歲則燥化
不足乘庚子庚寅庚辰庚午庚申庚戌歲則

燥化有餘歲氣不同生化異也金生辛物之有辛味者皆始自金化之所成辛生肺辛物入胃先入於肺故諸乙歲則辛少化諸庚歲則辛多化肺生皮毛辛味入肺自肺藏布化生養皮毛也皮毛生腎辛氣自入皮毛乃流化生氣入腎藏也其在天爲燥神化也霧露清勁燥之化也肅殺凋零燥之用也歲屬陽明在上則燥化於天陽明在下則燥行於地在地爲金從革堅剛金之體也鋒刃銛利金之用也◎新校正云按別本銛作括在體爲皮毛柔韌包裹皮毛之體也滲泄津液皮毛之用也在氣爲成物乘金化則堅成在藏爲肺肺之形似人肩二布葉數小葉中有二十四空行列以分布諸藏清

濁之氣主藏魄也爲相傳之官治節出焉乘乙歲則肺與經絡受邪而爲病也太陽府亦然 其性爲涼 涼清也肺之性也 其德爲清 金以清涼爲德化。新校正云按氣交變大論云其德清潔 其用爲固 固堅定也 其色爲白 物乘金化則表彰縞素之色今西方之野草木之上色皆兼白乘乙歲則白色之物兼赤及蒼也 其化爲斂 斂收也金化流行則物體堅斂。新校正云按氣交變大論云其化緊斂詳金之化爲斂而木不及之氣亦斂者蓋木不及而金勝之故斂也 其蟲介 介甲也外被介甲金堅之象也 其政爲勁 勁前鋭也。新校正云按氣交變大論云其政勁切 其令霧露 涼氣化生 其變肅殺 天地慘悽人所不喜則其氣也其眚蒼落青乾凋落其味爲辛夫物之化之變而有辛味者皆金氣之所離合也今西方之野草木多辛其志爲憂憂慮也思也○新校正云詳王注以憂爲思有害於義按本論思爲脾之志憂爲肺之志是憂非思明矣又靈樞經曰愁憂則閉塞而不行又云愁憂而不解則傷意若是則憂者愁也非思也憂傷肺愁憂則氣閉塞而不行肺藏氣故憂傷肺喜勝憂神悅則喜故喜勝憂熱傷皮毛火有二別故此再舉熱傷之形證也火氣薄爍則物焦乾故熱氣盛則皮毛傷寒勝熱以陰消陽故寒勝熱○新校正云按太素作燥傷皮毛熱勝燥辛傷皮毛過節也辛熱又甚焉苦勝辛苦火味故

勝金之辛

北方生寒陽氣伏陰氣升政布而大行故寒生也太虛澄淨黑氣浮空天色黯然高空之寒氣也若氣似散麻本末皆黑微見川澤之寒氣也太虛清白空尤雪映遐邇一色山谷之寒氣也太虛白昏火明不翳如霧雨氣遐邇肅然北望色玄凝霧夜落此水氣所生寒之化也太虛凝陰白埃昏翳天地一色遠視不分此寒濕凝結雪之將至也地裂水冰河渠乾涸枯澤浮鹹木歛土堅是土勝水水冰不得自清水所生寒之用也

寒生水寒資陰化水所由生此寒氣之生化爾寒氣施化則水冰雪霧其爲變極則水涸冰堅運乘丙寅丙子丙戌丙申丙午丙辰之歲則寒氣大行乘辛未辛巳辛卯辛丑辛亥辛酉之歲則寒化少

水生鹹鹹物之有鹹味者皆始自水化之所成

結也水澤枯涸鹵鹹乃蕃滄海味鹹鹽從水化則鹹因水産其事炳然煎水味鹹近而可見 鹹生腎 鹹物入胃先歸於腎故諸丙歲鹹物多化諸辛歲鹹物少化 腎生骨髓 鹹味入腎自腎藏髓布化生養骨髓也骨 生肝 鹹氣自生骨髓乃流 化生氣入肝藏也 其在天爲寒 神化也凝慘冰雪寒之化也凛冽霜雹寒之用也歲屬太陽在上則寒化於天太陽在下則寒行於地 在地爲水 陰氣布化流於地中則爲冰泉澄澈流衍水之體也漂蕩没溺水之用也 在體爲骨 強幹堅勁骨之體也包裹髓腦骨之用也 在氣爲堅 柔耎之物遇寒則堅寒之化也 在藏爲腎 腎藏有二形如豇豆相並而曲附於膂筋外有脂裹裹白表黑

主藏精也，爲作強之官，伎巧出焉。乘辛歲則腎藏及經絡受邪而爲病，膀胱府同其

性爲凜凜寒也腎之性也其德爲寒水以寒爲德化○新校正云按氣交變大論云其德淒滄其用爲本闕其色爲黑物稟水成則表被玄黑之色今北方之野草木之上色皆兼黑乘辛歲則黑色之物兼黃及赤其化爲肅肅靜也○新校正云按氣交變大論云其化清謐詳水之化爲肅而金之政太過者爲肅平金之政勁肅金之變肅殺者何也蓋水之化肅者靜也金之政肅者肅殺也文雖同而事異其蟲鱗鱗謂魚蛇之族類其政爲靜水性澄澈而清淨○新校正云按氣交變大論其政凝肅詳水之政爲靜而平土之政安靜土太過之政亦爲

靜土不及之政亦爲靜定水土異而肅同者非同也水之靜清淨也土之靜安靜也其令本闕其變凝冽寒甚故致是○新校正云按氣交變大論云其變凜冽其眚冰雹非時而有及暴過也○新校正云按氣交變大論云其災冰雪霜雹其味爲鹹夫物之化之變而有鹹味者皆水化之所凝散也今北方川澤地多鹹鹵其志爲恐則以遠禍恐傷腎恐甚動中則傷腎靈樞經曰恐懼而不解則傷精腎藏精故精傷而傷及於腎思勝恐思見禍機故無憂恐思一作憂非也寒傷血明勝心也寒甚血凝故傷血也燥勝寒寒化則水積燥用則物堅燥與寒兼故相勝也天地之化物理之常也鹹傷血味過於鹹則咽乾引

飲傷血之義斷可知乎甘勝鹹渴飲甘泉咽乾自已甘爲土味故勝水鹹○新校正云詳自上岐伯曰至此與陰陽應象大論同小有增損而注頗異五氣更立各有所先當其歲時氣乃先也非其位則邪當其位則正先立運然後知非位與當位者也帝曰病之生變何如岐伯曰氣相得則微不相得則甚木居火位火居土位土居金位金居水位水居木位木居君位如是者爲相得又木居水位水居金位金居土位土居火位火居木位如是者雖爲相得終以子僭居父母之位下㥄上猶爲小逆也木居金上位火居金水位土居水木位金居火木位水居火土位如是者爲不相得故病甚

也皆先立運氣及司天之氣則氣之所在相得與不相得可知矣帝曰主歲何如岐伯曰氣有餘則制已所勝而侮所不勝其不及則已所不勝侮而乘之已所勝輕而侮之木餘則制土輕忽於金以金氣不爭故木待其餘而欺侮也又木少金勝土反侮木以木不及故土妄凌之也四氣卒同侮者侮謂而凌忽之侮反受邪或以已強盛或遇彼衰微不度卑弱妄行凌忽雖侮而求勝故終必受邪侮而受邪寡於畏也受邪各謂受已所不勝之邪也然捨已宫觀適他鄉邦外強中乾邪勝真弱寡於敬畏由是納邪故曰寡於畏也○新校正云按六節藏象論云未至而

本此謂太過則薄所不勝而乘所勝命曰氣淫至而不至此謂不及則所勝妄行而所生受病所不勝而薄之命曰氣迫卽此之義也帝曰善

○六微旨大論篇第六十八

黃帝問曰嗚呼遠哉天之道也如迎浮雲若視深淵視深淵尚可測迎浮雲莫知其極深淵淨澄而澄澈故視之可測其深淺浮雲飄泊而合散故迎之莫詣其邊涯言蒼天之象如淵可視乎鱗介運化之道猶雲莫測其去留六氣深微其於運化當如是喻矣○新校正云詳此文與疏五過論重夫子數言謹奉天道余聞而藏

之心私異之不知其所謂也願夫子溢志盡言其事令終不滅久而不絕天之道可得聞乎運化生成之道也岐伯稽首再拜對曰明乎哉問天之道也此因天之序盛衰之時也帝曰願聞天道六六之節盛衰何也六六之節經已啓問天師未敷其旨故重問之岐伯曰上下有位左右有紀上下謂司天地之氣二也餘左右四氣在歲之左右也故少陽之右陽明治之陽明之右太陽治之太陽之右厥陰治之厥

陰之右少陰治之少陰之右太陰治之太陰之右少陽治之此所謂氣之標蓋南面而待之也標末也聖人南面而立以閲氣之至也故曰因天之序盛衰之時移光定位正立而待之此之謂也移光謂日移光定位謂面南觀氣正立觀歲數氣之至則氣可待之也少陽之上火氣治之中見厥陰少陽南方火故上見火氣治之與厥陰合故中見厥陰也陽明之上燥氣治之中見太陰陽明西方金故上燥氣治之與太陰合故燥氣之下中見太陰也太陽之上寒氣治

之中見少陰太陽北方水故上寒氣治之與少陰合故寒氣之下中見少陰也〇新校正云按六元正紀大論云太陽所至爲寒生中爲溫與此義同厥陰之上風氣治之中見少陽厥陰東方木故上風氣治之與少陽合故風氣之下中見少陽也少陰之上熱氣治之中見太陽少陰東南方君火故上熱氣治之與太陽合故熱氣之下中見太陽也〇新校正云按六元正紀大論云少陰所至爲熱生中爲寒與此義同太陰之上濕氣治之中見陽明太陰西南方土故上濕氣治之與陽明合故濕氣之下中見陽明也所謂本也本之下中之見也見之下氣之

標也。本謂元氣也氣別爲王則文言著矣〇新校正云詳注云文言著矣疑誤本標不同氣應異象本者應之元標者病之始病生形用求之標方施其用求之本標本不同求之中見法萬全〇新校正云按至眞要大論云六氣標本不同氣有從本者有從標本者有不從標本者少陽太陰從本少陰太陽從本從標陽明厥陰不從標本從乎中故從本者化生於本從標本者有標本之化從中者以中氣爲化帝曰其有至而至有至而不至有至而太過何也皆謂天之六氣也初之氣起於立春前十五日餘二三四五終氣次至而分治六十日餘八十七刻半岐伯曰至而至者和至而不至來氣不及也未至而至來氣有餘也時至而氣至和平之應此爲平歲也假令甲子歲氣有餘於癸亥歲未當至之期先期而至也乙丑歲氣不足於甲子歲當至之期後時而至也故曰來氣不及來氣有餘也言初氣之至期如此歲氣有餘六氣之至皆先期歲氣不及六氣之至皆後時先時後至後時先至各差十三日而應也○新校正云按金匱要略云有未至而至有至而不至有至而不去有至而太過冬至之後得甲子夜半少陽起少陰之時陽始生天得温和以未得甲子天因温和此爲未至而至也以得甲子而天未温和此爲至而不至以得甲子而天大寒不解此爲至而不去以得甲子而天温如盛夏時此爲至而太過此亦論氣應之一端也帝曰至

而不至未至而至何如言太過不及歲當至晚至早之時應也歧伯曰應則順否則逆逆則變生變生則病當期爲應愆時爲否天地之氣生化不息無止礙也不應有而有應有而不有是造化之氣失常失常則氣變變常則氣血紛撓而爲病也天地變而失常則萬物皆病帝曰善請言其應歧伯曰物生其應也氣脉其應也物之生榮有常時脉之至有常期有餘歲早不及歲晚皆依時至也帝曰善願聞地理之應六節氣位何如歧伯曰顯明之右君火之位也君火之右退行一步相火

治之日出謂之顯明則卯地氣分春也自春分後六十日有奇斗建卯正至于巳正君火位也自斗建巳正未之中三之氣分相火治之所謂少陽也君火之位所謂少陰熱之分也天度至此暄淑大行居熱之分不行炎暑君之德也少陽居之爲僭逆大熱早行疫癘廼生陽明居之爲溫涼不時太陽居之爲寒雨間熱厥陰居之爲風濕雨生羽蟲少陰居之爲天下疵疫以其得位君令宣行故也太陰居之爲時雨火有二位故以君火爲六氣之始也相火則夏至日前後各三十日也少陽之分火之位矣天度至此炎熱大行少陽居之爲熱暴至草萎河乾炎亢濕化晚布陽明居之爲涼氣間發太陽居之爲寒氣間至熱爭冰雹厥陰居之爲風熱大行雨生羽蟲少陰居之爲大暑炎亢太陰居之爲雲

雨雷電退謂南面視之在位之右也一復行步凡六十日又八十七刻半餘氣同法

一步土氣治之雨之分也即秋分前六十日而有奇斗建未正至酉之中四之氣也天度至此雲雨大行濕蒸乃作少陽居之爲炎熱沸騰雲雨雷電陽明居之爲清雨霧露太陽居之爲寒雨害物厥陰居之爲暴風雨摧拉雨生倮蟲少陰居之爲寒熱氣反用山澤浮雲暴雨溽蒸太陰居之爲大雨霪霪（霪）音淫

復行一步金氣治之燥之分也即秋分後六十日而有奇自斗建酉正至亥之中五之氣也天度至此萬物皆燥少陽居之爲溫清更正萬物乃榮陽明居之爲大涼燥疾太陽居之爲早寒厥陰居之爲涼風大行雨生介蟲少陰居之爲秋濕熱病時行太陰居之爲時雨沈

陰復行一步水氣治之寒之分也即冬至日前後各三十日自斗建亥至丑之中六之氣也天度至此寒氣大行少陽居之為冬溫蟄蟲不藏流水不冰陽明居之為燥寒勁切太陽居之為大寒凝冽厥陰居之為寒風飄揚雨生鱗蟲少陰居之為蟄蟲出見流水不冰太陰居之為凝陰寒雪地氣濕也復行一步木氣治之風之分也即春分前六十日而有奇也自斗建丑正至卯之中初之氣也天度至此風氣乃行天地神明號令之始也天之使也少陽居之為溫疫至陽明居之為清風霧露矇昧太陽居之為寒風切冽霜雪水冰厥陰居之為大風發榮雨生毛蟲少陰居之為熱風傷人時氣流行太陰居之為風雨凝陰不散復行一步君火治

之熱之分也復春分始也自斗建卯正至巳之中二之氣也凡此六位終統一年六六三百六十日六八四百八十刻六七四十二刻其餘半刻分而爲三約終三百六十五度也餘奇細分率之可也

相火之下水氣承之熱盛水承條蔓柔弱湊潤衍溢來象可見。新校正云按六元正紀大論云少陽所至爲火生終爲蒸溽則水承之義可見又云少陽所至爲標風燔燎霜凝亦下承之水氣也

水位之下土氣承之寒甚物堅水冰流涸土象斯見承下明矣。新校正云按六元正紀大論注云太陽所至爲寒雪冰雹白埃則土氣承之之義也

土位之下風氣承之疾風之後時雨乃零是則濕爲風吹化而爲雨。新校正云按六元正紀

大論云太陰所至爲濕生終爲注雨則上位之下風氣承之而爲雨也又云太陰所至爲雷霆驟注烈風則風承之義也**風位之下金氣承之**風動氣清萬物皆燥金承木下其象昭然。新校正云按六元正紀大論云厥陰所至爲風生終爲肅則金承之義可見又云厥陰所至爲飄怒大涼亦金承之義**金位之下火氣承之**鍛金生熱則火流金乘火之上理無妄也。新校正云按六元正紀大論云陽明所至爲散落溫則火乘之義也**君火之下陰精承之**君火之位大熱不行蓋爲陰精制承其下也諸以所勝之氣乘於下者皆折其標盛此天地造化之大體爾。新校正云按六元正紀大論云少陰所至爲熱生中爲寒則陰承之義可知又云少陰所至爲大暄寒亦其義也又按六元正紀云水發而雹雪土發而飄驟木發而毀折金發而清明火發而曛昧何氣使然曰氣有多少發有微甚微者當其氣甚者兼其下徵其下氣而見可知也所謂徵其下者卽此六承氣也帝曰何也岐伯曰元則害承迺制制生則化外列盛衰害則敗亂生化大病元過極也物惡其極帝曰盛衰何如岐伯曰非其位則邪當其位則正邪則變甚正則微帝曰何謂當位岐伯曰木運臨卯火運臨午土運臨四季金運臨酉水運臨子所謂

歲會氣之平也非太過非不及是謂平運主歲也平歲之氣物生脉應皆必合期無先後也○新校正云詳木運臨卯丁卯歲也火運臨午戊午歲也土運臨四季甲辰甲戌己丑己未歲也金運臨酉乙酉歲也水運臨子丙子歲也内戌午己丑己未乙酉又爲太乙天符帝曰非位何如岐伯曰歲不與會也不與本辰相逢會也帝曰土運之歲上見太陰火運之歲上見少陽少陰少陰少陽皆火氣金運之歲上見陽明木運之歲上見厥陰水運之歲上見太陽奈何岐伯曰天之與會也天氣與運氣相逢會也○

新校正云詳土運之歲上見太陰己丑己未也火運之歲上見少陽戊寅戊申也上見少陰戊子戊午也金運之歲上見陽明乙卯乙酉也木運之歲上見厥陰丁巳丁亥也水運之歲上見太陽丙辰丙戌也內己丑己未戊午乙酉又爲太乙天符按六元正紀大論云太過而同天化者三不及而同天化者亦三戊子戊午大徵上臨少陰戊寅戊申大徵上臨少陽丙辰丙戌大羽上臨太陽如是者三丁巳丁亥少角上臨厥陰乙卯乙酉少商上臨陽明己丑己未少宮上臨太陰如是者三臨者太過不及皆曰天符也

故天元冊曰天符天符歲會何如岐伯曰太乙天符之會也

是謂三合一者天會二者歲會三者運會也天元紀大論曰三合爲治此

之謂也○新校正云按太乙天符之詳具天元紀大論注中帝曰其貴賤何如歧伯曰天符爲執法歲位爲行令太乙天符爲貴人執法猶相輔行令猶方伯貴人猶君主帝曰邪之中也奈何歧伯曰中執法者其病速而危執法官人之繩凖自爲邪僻故病速而危中行令者其病徐而持方伯無執法之權故無速害病但執持而已中貴人者其病暴而死義無夌犯故病則暴而死帝曰位之易也何如歧伯曰君位臣則順臣位君則逆逆則其病近其害速

順則其病遠其害微所謂二火也相火居君火是臣位居君位故逆也君火居相火是君位居臣位君臨臣位故順也遠謂里遠近謂里近也帝曰善願聞其步何如歧伯曰所謂步者六十度而有奇奇謂八十七刻又十分刻之五也故二十四步積盈百刻而成日也此言天度之餘也夫言周天之度者三百六十五度四分度之一也二十四步正四歲也四分度之一二十五刻也四歲氣成積已盈百刻故成一日度一日也帝曰六氣應五行之變何如歧伯曰位有終始氣有初中上下不同求之亦

異也（位地位也氣天氣也氣與位互有差移故氣之初天用事氣之中地主之地主則氣流于地天用則氣騰于天初與中皆分天步而率刻爾初中各三十日餘四十三刻四分刻之三也）帝曰求之奈何歧伯曰天氣始於甲地氣始於子子甲相合命曰歲立謹候其時氣可與期（子甲相合命曰歲立則甲子歲也謹候水刻早晏則六氣悉可與期爾）帝曰願聞其歲六氣始終早晏何如歧伯曰明乎哉問也甲子之歲初之氣天數始於水下一刻（常起於平明寅初一刻艮中之南也○新校正云按戊辰壬申丙子

庚辰甲申戊子壬辰丙申庚子甲辰戊申壬子丙辰庚申歲同此所謂辰申子歲氣會同陰陽法以是爲三合終於八十七刻半子正之中夜之半也外十三刻半入二氣之初諸餘刻同入也二之氣始於八十七刻六分子中之左也終於七十五刻戌之後四刻也外三十五刻入次三氣之初率三之氣始於七十六刻亥初之一刻終於六十二刻半酉正之中也外三十七刻半差入後四之氣始於六十二刻六分酉中之北終於五十刻未後之四刻也外五十刻差入後五之氣始於五十一刻申初之一刻終於三十

趙府居敬堂

七刻半午正之中晝之半也外六十二刻半差入後六之氣始於三十七刻六分午中之南終於二十五刻辰正之後四刻外七十五刻差入後所謂初六天之數也天地之數二十四氣乃大會而同故命此曰初六天數也乙丑歲初之氣天數始於二十六刻巳初之一刻○新校正云按巳巳癸酉丁丑辛巳乙酉巳丑癸巳丁酉辛丑乙巳巳酉癸丑丁巳辛酉歲同所謂巳酉丑歲氣會同也終於一十二刻半卯正之中二之氣始於一十二刻六分卯中之南終於水下百刻丑後之四刻三之氣始於一刻又寅

初之一刻終於八十七刻半子正之中四之氣始於八十七刻六分子中正東終於七十五刻戌後之四刻五之氣始於七十六刻亥初之一刻終於六十二刻半酉正之中六之氣始於六十二刻六分酉中之北終於五十刻未後之四刻所謂六二天之數也一六爲初六二六爲六二名文也丙寅歲初之氣天數始於五十一刻申初之一刻○新校正云按庚午甲戌戊寅壬午丙戌庚寅甲午戊戌壬寅丙午庚戌甲寅戊午壬戌歲同此所謂寅午戌歲氣會同終於三十七刻

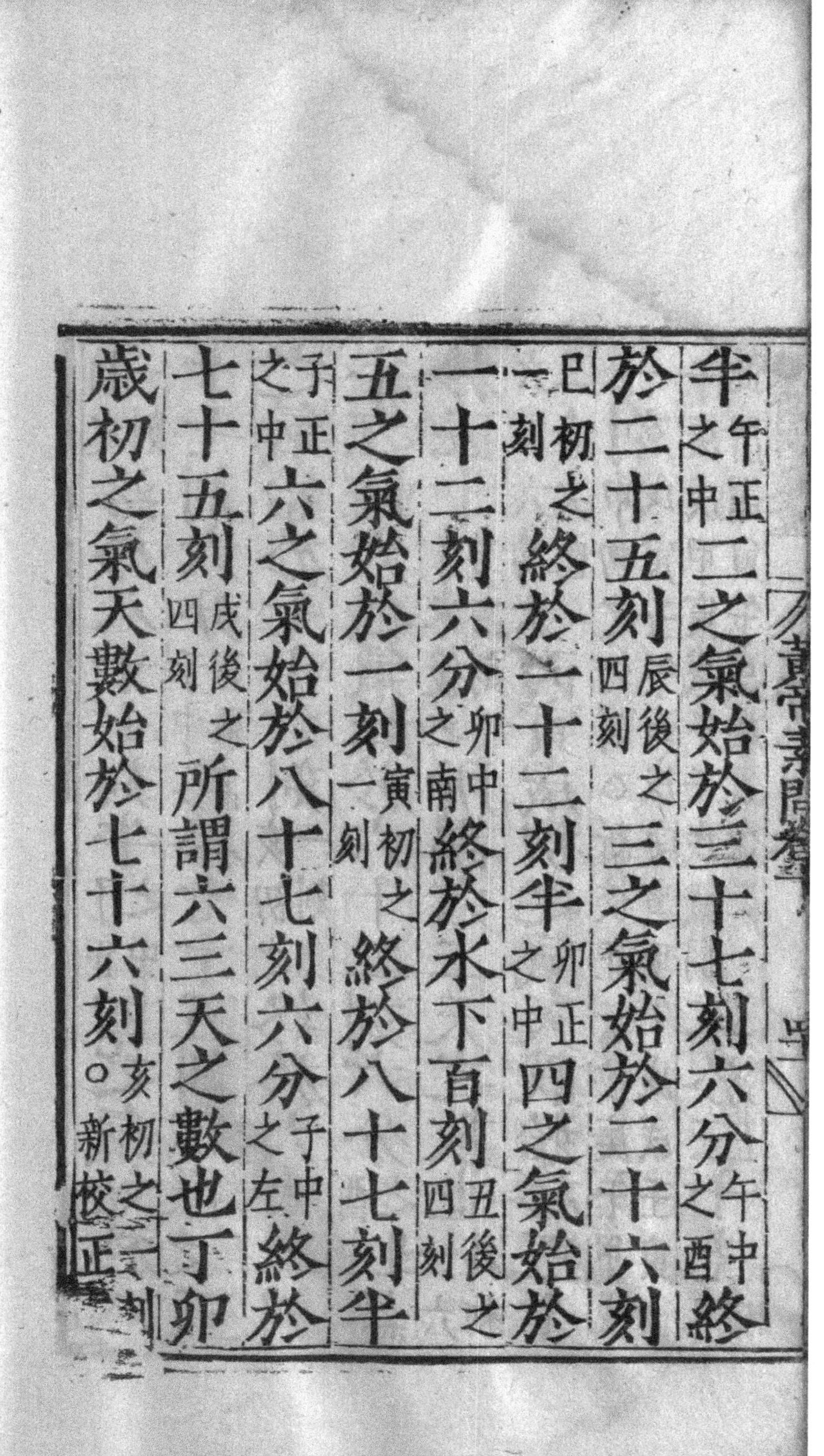
黃帝素問卷

半午正之中二之氣始於三十七刻六分午中之酉終於二十五刻辰後之四刻三之氣始於二十六刻巳初之一刻終於一十二刻半卯正之中四之氣始於一十二刻六分卯中之南終於水下百刻丑後之四刻五之氣始於一刻寅初之一刻終於八十七刻半子正之中六之氣始於八十七刻六分子中之左終於七十五刻戌後之四刻所謂六三天之數也丁卯歲初之氣天數始於七十六刻。亥初之一刻新校正

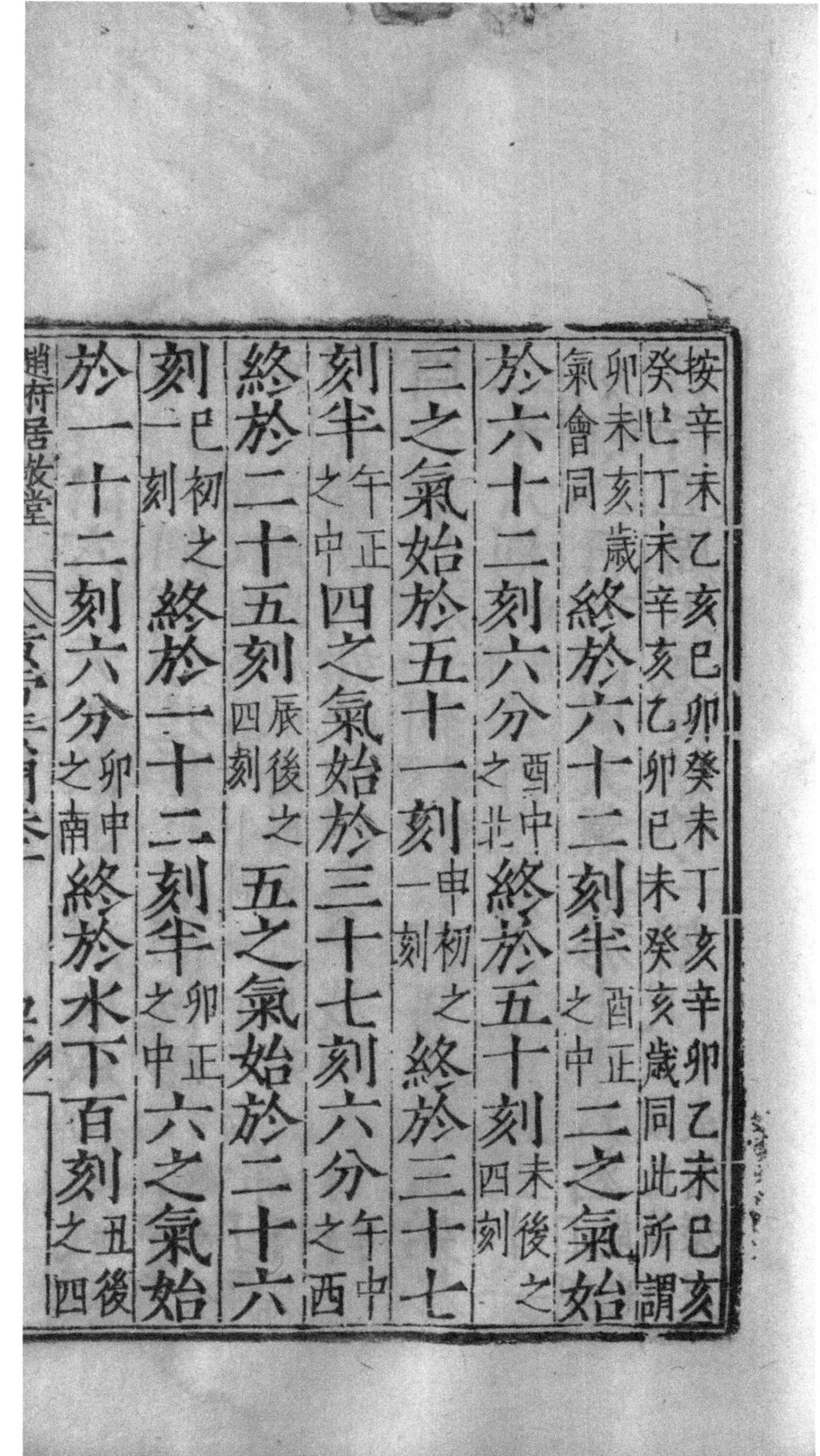

按辛未乙亥巳卯癸未丁亥辛卯乙未巳亥癸巳丁未辛亥乙卯巳未癸亥歲同此所謂卯未亥歲氣會同終於六十二刻半酉正之中二之氣始於六十二刻六分酉中之北終於五十刻未後之四刻三之氣始於五十一刻申初之一刻終於三十七刻半午正之中四之氣始於三十七刻六分午中之西終於二十五刻辰後之四刻五之氣始於二十六刻巳初之一刻終於一十二刻半卯正之中六之氣始於一十二刻六分卯中之南終於水下百刻丑後之四

刻所謂六四天之數也次戊辰歲初之氣復始於一刻常如是無已周而復始始自甲子年終於癸亥歲常以四歲爲一小周一十五周爲一大周以辰命歲則氣可與期帝曰願聞其歲候何如岐伯曰悉乎哉問也日行一周天氣始於一刻甲子歲也日行再周天氣始於二十六刻乙丑歲也日行三周天氣始於五十一刻丙寅歲也日行四周天氣始於七十六刻丁卯歲也日行五周天氣復始於一刻戊辰歲也餘五十五歲循環周

而復始也。所謂一紀也。法以四年爲一紀，循環不已，餘三歲一會同，故有三合也。是故寅午戌歲氣會同，卯未亥歲氣會同，辰申子歲氣會同，巳酉丑歲氣會同，終而復始。陰陽法以是爲三合者，緣其氣會同也。不爾，則各在一方，義無由合。帝曰：願聞其用也。岐伯曰：言天者求之本，言地者求之位，言人者求之氣交。本謂天六氣，寒暑燥濕風火也。三陰三陽由是生化，故云本，所謂六元者也。位謂金木火土水君火也。天地之氣上下相交，人之所處也。帝曰：何謂氣交？岐伯曰：上下之位，氣交之中人之居也自天之下地之上則二氣交合之分也人居地上故氣交合之中人之居也是以化生變易皆在氣交之中故曰天樞之上天氣主之天樞之下地氣主之氣交之分人氣從之萬物由之此之謂也天樞當齊之兩傍也所謂身半矣伸臂指天則天樞正當身之半也三分析之上分應天下分應地中分應氣交天地之氣交合之際所遇寒暑燥濕風火勝復之變之化故人氣從之萬物生化悉由而合散也帝曰何謂初中岐伯曰初凡三十度而有奇中氣同法奇謂三十日餘四十三刻又四十分刻之三十也初中相合則六十日餘八十七刻

半也以各餘四十分刻之三十故云中氣同法也帝曰初中何也岐伯曰所以分天地也以是知氣高下生人病主之也帝曰願卒聞之政伯曰初者地氣也中者天氣也氣之初天用事天用事則地氣上騰於太虛之內氣之中地氣主之地氣主則天氣下降於有質之中帝曰其升降何如岐伯曰氣之升降天地之更用也升謂上升降謂下降升極則降降極則升升降不已故彰天地之更用也帝曰願聞其用何如岐伯曰升已而降降者謂天降已而升升者謂地氣之初地氣升氣之中天

氣降升巳而降以下彰天氣之下流降巳而
升以上表地氣之上應天氣下降地氣上騰
天地交合泰之象也易曰天地交泰是以天
地之氣升降常以三十日半下上下上不巳
故萬物生化無有休
息而各得其所也 天氣下降氣流于地地
氣上升氣騰于天故高下相召升降相因而
變作矣 氣有勝復故變生也○新校正云按
六元正紀大論云天地之氣盈虛何
如曰天氣不足地氣隨之地氣不足天氣從
之運居其中而常先也惡所不勝歸所和同
隨運歸從而生其病也故上勝則天氣降而
下下勝則地氣遷而上多少而差其分微者
小差甚者大差甚則位易氣
交易則大變生而病作矣 帝曰善寒濕相

遷燥熱相臨風火相值其有間乎岐伯曰氣有勝復勝復之作有德有化有用有變變則邪氣居之夫撫掌成聲沃火生沸物之交合象出其間萬類交合亦由是矣天地交合則八風鼓拆六氣交馳於其間故氣不能正者反成邪氣帝曰何謂邪乎邪者不正之目也天地勝復則寒暑燥濕風火六氣互爲邪也岐伯曰夫物之生從於化物之極由乎變變化之相薄成敗之所由也夫氣之有生化也不見其形不知其情莫測其所起莫究其所止而萬物自生自化近成無極是謂天和見其象彰其動震烈剛暴飄泊驟卒

拉堅摧殘摺折鼓慄是謂邪氣故物之生也靜而化成其毁也躁而變革是以生從於化極由乎變變化不息則成敗之由常在生有涯分者言有終始爾○新校正云按天元紀大論云物生謂之化物極謂之變故氣有往復用有遲速四者之有而化而變風之來也天地易位寒暑移方水火易處當動用時氣之遲速往復故不常在雖不可究識意端然微甚之用而爲化爲變風所由來也人氣不勝因而感之故病生焉風匪求勝於人也帝曰遲速往復風所由生而化而變故因盛衰之變耳成敗倚伏遊乎中何也夫倚伏者禍福之萌也有禍者福之所倚也有福者

禍之所伏也由是故禍福之爲倚伏物盛則衰樂極則哀是福之極故爲禍所倚否極之泰未濟之濟是禍之極故爲福所伏然吉凶成敗目擊道存不可以終自然之理故無尤也

岐伯曰成敗倚伏生乎動動而不已則變作矣其動靜之理氣有常運其微也爲物之化其甚也爲物之變化流於物故物得之以生變行於物故物得之以死由是成敗倚伏生於動之微甚遲速爾豈惟氣獨有是哉人在氣中養生之道進退之用當皆然也○新校正云按至眞要大論云陰陽之氣清靜則生化治動則苛疾起此之謂也

帝曰有期乎岐伯曰不生不化靜之期也人之期可見者二也天地之期不可見也夫二可見者一

曰生之終也其二曰變易與土同體然後捨小生化歸於太化以死後猶化變未已故可見者二也天地終極人壽有分長短不相及故人見之者鮮矣帝曰不生化乎言亦有不生不化者乎岐伯曰出入廢則神機化滅升降息則氣立孤危出入謂喘息也升降謂化氣也夫毛羽倮鱗介及飛走蚑行皆生氣根於身中以神爲動靜之主故曰神機也然金玉土石鎔延草木皆生氣根於外假氣以成立主持故曰氣立也五常政大論曰根于中者命曰神機神去則機息根于外者命曰氣立氣止則化絶此之謂也故無是四者則神機與氣立者生死皆絶○新校正云按易云本乎天者親上本乎地者親下周禮大宗伯有天産地産大司徒

云動物植物卽此神機氣立之謂也蚑音祁

故非出入則無以生長壯老已非升降則無以生長化收藏

夫自東自西自南自北者假出入息以爲化生因物以全質者之陰陽升降之氣以作生源若非此道則無能致

是以升降出入無器不有

包藏生器者皆謂生化之器觸物然矣夫竅橫者皆有出入去來之氣竅竪者皆有陰陽升降之氣往復於中何以明之則壁窻戶牖兩面伺之皆承來氣衝擊於人是則出入氣也夫陽升則井寒陰升則水暖以物投井及葉墜空中翩翩不疾皆升氣所礙也虛管溉滿捻上懸之水固不泄爲無升氣而不能降也空瓶小口頓溉不入爲氣不出而不能入也由是觀

之升無所不降降無所不升無出則不入無入則不出夫羣品之中皆出入升降不失常守而云非化者未之有也有識無失有情無情去出入已升降而云存者未之有也故曰升降出入無器不有故器者生化之宇器散則分之生化息矣器謂天地及諸身也宇謂屋宇也以其身形包藏府藏受納神靈與天地同故皆名器也諸身者小生化之器宇太虛者廣生化之器宇也生化之器自有小大無不散也夫小大器皆生有涯分散有遠近者也故無不出入無不升降眞生假立形器者無不有此二者化有小大期有近遠近者不見遠謂遠者無涯遠者無常見近而數有其涯矣既近遠不同期合散殊時節卽有無

交競異見常爭及至分散之時則近遠同歸於一變**四者之有而貴常守**四者謂出入升降也有出入升降則爲常守有出無入有入無出有升無降有降無升則非生之氣也若非胎息道成居常而生則未之有屏出入息泯升降氣而能存其生化者故貴常守**反常則災害至矣**出入升降生化之元生故不可無之反常之道則神去其室生化微絕非災害而何哉**故曰無形無患此之謂也**夫喜於遂悅於色畏於難懼於禍外惡風寒暑濕內繁饑飽愛欲皆以形無所隱故常嬰患累於人間也若使想慕滋蔓嗜欲無厭外附權門內豐情僞則動以牢網坐招燔焫欲思釋縛其可得乎是以身爲患階爾老子曰吾所以有大患者爲吾有身

及吾無身吾有何患此之謂也夫身與形與太虛釋然消散復未知生化之氣爲有而聚耶爲無而滅乎

帝曰善有不生不化乎

言人有逃陰陽免生化而不生不化無始無終同太虛自然者乎

岐伯曰悉乎哉問也與道合同惟真人也

真人之身隱見莫測出入天地內外順道至真以生其爲小也入於無間其爲大也過虛空界不與道如一其孰能爾乎

帝曰善

○氣交變大論篇第六十九

新校正云詳此論專明氣交之變乃五運太過不及德化政令災變勝復爲病之事

黃帝問曰五運更治上應天朞陰陽往復寒

暑迎隨眞邪相薄內外分離六經波蕩五氣傾移太過不及專勝兼并願言其始而有常名可得聞乎朞三百六十五日四分日之一也專勝謂五運主歲太過也兼并謂主歲之不及也常名謂布化於太虛人身參應病之形診也○新校正云按天元紀大論云五運相襲而皆治之終朞之日周而復始又云五氣運行各終朞日太始天元冊文曰萬物資始五運終天即五運更治上應天朞之義也岐伯稽首再拜對曰昭乎哉問也是明道也此上帝所貴先師傳之臣雖不敏往聞其旨言非己心之生知備聞先人往

古受傳之遺旨也帝曰余聞得其人不教是謂失道傳非其人慢泄天寶余誠菲德未足以受至道然而衆子哀其不終願夫子保於無窮流於無極余司其事則而行之奈何至道者非傳之難非知之難行之難聖人愍念蒼生同居永壽故屈身降志請受於一天師太上貴德故後已先人苟非其人則道無虛授黃帝欲仁慈惠遠博愛流行尊道下身拯乎黎庶乃曰余司其事則而行之也岐伯曰請遂言之也上經曰夫道者上知天文下知地理中知人事可以長久

此之謂也夫道者夫無不包細無不入故天文地理人事咸通○新校正云詳夫道者一節與著至教論文重帝曰何謂也岐伯曰本氣位也位天者天文也位地者地理也通於人氣之變化者人事也故太過者先天不及者後天所謂治化而人應之也三陰三陽司天司地以表定陰陽生化之紀是謂位天位地也五運居中司人氣之變化故曰通於人氣也先天後天謂生化氣之變化所主時也太過歲化先時至不及歲化後時至帝曰五運之化太過何如太過謂歲氣有餘也○新校正云詳太過五化具五常政大論中

岐伯曰：歲木太過，風氣流行，脾土受邪。木餘故土氣卑屈。民病飧泄食減，體重煩冤，腸鳴腹支滿，飧泄謂食不化而下出也。脾虛故食減體重煩冤腸鳴腹支滿也。上應歲星。歲木氣太盛，歲星光明逆守，星屬分皆災也。○新校正云：按《藏氣法時論》云：脾虛則腹滿腸鳴，飧泄食不化。甚則忽忽善怒，眩冒巔疾。夌犯大甚，則遇於金，故自病。○新校正云：按《玉機眞藏論》云：肝脈太過，則令人善怒，忽忽眩冒巔疾，爲肝實而然。則此病不獨木太過遇金自病，肝實亦自病也。化氣不政，生氣獨治，雲物飛動，草木不寧，甚而搖落，反脇痛而吐甚衝陽絕者死不治上應太白星諸陽歲也木餘土抑故不能布政於萬物也生氣木氣也太過故獨治而生化也風不務德非分而動則太虛之中雲物飛動草木不寧動而不止金則勝之故甚則草木搖落也勝反痛木乘土也衝陽胃脉也木氣勝而土氣乃絕故死也金復而太白逆守屬星者危也其災之發害於東方人之內應則先害於脾後復肝也書曰滿招損此其類也。新校正云詳此太過三化言星之例有三木與土運先言歲鎮後言勝已之星火與金運先言熒惑太白次言勝已之星後再言熒惑太白水運先言辰星次言鎮星後再言辰星兼見已勝之星也

歲火太過炎暑流行金肺受邪火不以德則邪害於金若

以德行則政和平也民病瘧少氣欬喘血溢血泄注下嗌燥耳聾中熱肩背熱上應熒惑星少氣謂氣少不足以息也血出謂泄利便血也血溢謂血上出於七竅也注下謂水利也中熱謂胷心中也背者胷中之府肩接近之故胷心中及肩背熱也火氣大盛則熒惑光芒逆臨宿屬分皆災也○新校正云詳火盛而剋金寒熱交爭故爲瘧按藏氣法時論云肺病者欬喘肺虛者少氣不能報息耳聾嗌乾甚則胷中痛脇支滿脇痛膺背肩胛間痛兩臂內痛新校正云按藏氣法時論云心病者胷中痛脇支滿脇下痛膺背肩胛間痛兩臂內痛身熱骨痛而爲浸淫

火無德令縱熱害金水爲復讎故火自病○新校正云按玉機眞藏論云心脉太過則令人身熱而膚痛爲浸淫此云骨痛者誤也收氣不行長氣獨明雨水霜寒今詳水字當作冰上應辰星金氣退避火氣獨行水氣折之故雨零水雹及偏降霜寒而殺物也水復於火天象應之辰星逆凌乃寒災於物也占辰星者常在日之前後三十度其災發之當至南方在人之應則內先傷肺後反傷心○新校正云按五常政大論雨水霜寒作雨冰霜雹上臨少陰少陽火燔焫水泉涸物焦槁新校正云按五常政大論云赫曦之紀上徵而收氣後又六元正紀大論云戊子戊午太徵上臨少陰戊寅戊申太徵上臨少陽臨者太過不

及皆曰天符病反譫妄狂越欬喘息鳴下甚血溢泄不已太淵絶者死不治上應熒惑星諸戊歲也戊午戊子歲少陰上臨戊寅戊申歲少陽上臨是謂天符之歲也大淵肺脉也火勝而金絶故死火旣太過又火熱上臨兩火相合故形斯候熒惑逆犯宿屬皆危○新校正云詳戊辰戊戌歲上見太陽是謂天刑運故當盛而不得盛則火化減半非太過又非不及也

歲土太過雨濕流行腎水受邪土無德乃爾民病腹痛清厥意不樂體重煩寃上應鎮星腹痛謂大腹小腹痛也清厥謂足逆冷也意不樂如有隱憂也土來刑水天象應之鎮星逆犯宿屬

則災。○新校正云按藏氣法時論云腎病者身重腎虛者大腹小腹痛清厥意不樂甚則肌肉萎足萎不收行善瘈脚下痛飲發中滿食減四支不舉脾主肌肉外應四支又其脉起於足中指之端循核骨肉側斜出絡胕故病如是○新校正云按藏氣法時論云脾病者身重善肌肉萎足不收行善瘈脚下痛又玉機真藏論云脾太過則令人四支不舉變生得位新校正云詳太過五化獨此言變生得位者舉一而四氣可知也又以土王時月難知故此詳言之也藏氣伏化氣獨治之泉涌河衍涸澤生魚風雨大至土崩潰鱗見于陸病腹滿溏泄腸鳴反下甚而大谿絶者死不治上應歲星諸甲歲也得位謂季月也藏水氣也化土氣也土化太過故水藏伏匿而化氣獨治土勝木復故風雨大至水泉涌河渠溢乾澤生魚濕既甚矣風又鼓之故土崩潰土崩潰謂垣頽岸仆山落地入也河溢泉涌枯澤水滋鱗物豐盛故見于陸也大谿腎脉也土勝而水絶故死木來折土天象逆臨加其宿屬正可憂也○新校正云按藏氣法時論云脾虛則腹滿腸鳴飧泄食不化歲金太過燥氣流行肝木受邪金暴虐乃爾民病兩脇下少腹痛目赤痛眥瘍耳無所聞兩脇謂兩乳下脇之下也少腹謂齊下兩傍髎骨內也目赤謂白睛色赤

也痛謂瘮痛也背謂四際瞼睫之本也瞼音檢肅殺而甚則體重煩寃胷痛引背兩脇滿且痛引少腹上應太白星金氣已過肅殺又甚木氣內畏感而病生金盛應天太白明大加臨宿屬必受災害○新校正云按藏氣法時論云肝病者兩脇下痛引少腹肝虛則目䀮䀮無所見耳無所聞又玉機眞藏論云肝脉不及則令人胷痛引背下則兩脇胠滿甚則喘欬逆氣肩背痛尻陰股膝髀腨胻足皆病上應熒惑星火氣復之自生病也天象示應在熒惑逆加守宿屬則可憂也○新校正云按藏氣法時論云肺病者喘欬逆氣肩背痛汗出尻陰股膝髀腨胻足皆痛收氣

峻生氣下草木斂蒼乾凋隕病反暴痛胠脇不可反側新校正云詳此云反暴痛不言何所痛者按至真要大論云心脇暴痛不可反側則此乃心脇暴痛也欬逆甚而血溢太衝絶者死不治上應太白星諸庚歲也金氣峻虐木氣後刑火未來復則如是也歛謂已生枝葉歛附其身也太衝肝脉也金勝而木絶故死當是之候太白應之逆守星屬病皆危也○新校正云按庚子庚午庚寅庚申歲上見少陰少陽司天是謂天刑運金化減半故當盛而不得盛非太過又非不及也歲水太過寒氣流行邪害心火水不務德暴虐乃然民病身熱煩心躁悸

陰厥上下中寒譫妄心痛寒氣早至上應辰星悸心跳動也譫亂語也妄妄見聞也天氣水盛辰星瑩明加其宿屬災乃至○新校正云按陰厥在後金不及復則陰厥有治甚則腹大脛腫喘欬寢汗出憎風新校正云按藏氣法時論云腎病者腹大脛腫喘欬身重寢汗出憎風再詳太過五化木言化氣不政生氣獨治火言收氣不行長氣獨明土言藏氣伏長氣獨治金言收氣峻生氣下水當言藏氣乃盛長氣失政今獨亡者闕文也大雨至埃霧朦鬱上應鎮星水盛不已為土所乘故彰斯候埃霧朦鬱土之氣腎之脉從足下上行入腹從腎上貫肝膈入肺中循喉嚨故生是病腎為陰故寢則汗

出而憎風也臥寢汗出卽其病也夫土氣勝折水之強故鎭星明盛昭其應也上臨太陽雨冰雪霜不時降濕氣變物新校正云按五常政大論云流衍之紀上羽而長氣不化又六元正紀大論云丙辰丙戌大羽上臨太陽臨者大過不及皆曰天符病反腹滿腸鳴溏泄食不化新校正云按藏氣法時論云脾虛則腹滿腸鳴飧泄食不化渴而妄冒神門絶者死不治上應熒惑辰星諸丙歲也丙辰丙戌歲太陽上臨是謂天符之歲也寒氣太甚故雨化爲冰雪雨冰則雹也霜不時降彰其寒也土復其水則大雨霖霪濕氣內深故物皆濕變神門心脉也水盛而火絶故死水盛太甚則熒惑減曜

辰星明瑩加以逆守宿屬則危亡也○新校正云詳太過五化獨記水火之上臨者火臨火水臨水爲天符故也火臨水爲逆水臨木爲順火臨土爲順水臨土爲運勝天火臨金爲天刑運水臨金爲逆更不詳出也又此獨言上應熒惑辰星舉此一例餘從而可知也

帝曰善其不及何如謂政化少也○新校正云詳不及五化具五常政大論中岐伯曰悉乎哉問也歲木不及燥廼大行清冷時至加之薄寒是謂燥氣燥金氣也生氣失應草木晚榮後時之謂失應也肅殺而甚則剛木辟著柔萎蒼乾上應太白星天氣凄滄日見曚昧謂雨非雨謂晴非晴人意慘然氣象凝斂

是爲肅殺甚也剛勁硬也辟著謂辟著枝莖乾而不落也柔耎也蒼青也柔木之葉青色下變而乾卷也木氣不及金氣乘之太白之明光芒而照其空也民病中清胠脅痛少腹痛腸鳴溏泄涼雨時至上應太白星新校正云按不及五化民病證中上應之星皆言運星失色畏星加臨宿屬爲災此獨言畏星不言運星者經文闕也當云上應太白星歲星其穀蒼金氣乘木肝之病也乘此氣者腸中自鳴而溏泄也即無胠脅少腹之痛疾也微者善之甚者上之遇夏之氣亦自止也遇秋之氣而復有之涼雨時至謂應時而至也金土齊化故涼雨俱行火氣來復則夏雨少金氣勝木太白臨之加其宿屬分皆災也金勝畢歲火氣不復則

蒼色之穀不成實也。新校正云詳中清胠脇痛少腹痛爲金乘木肝病之狀腸鳴溏泄乃脾病之證蓋以木少脾土無畏侮反受邪之故也上臨陽明生氣失政草木再榮化氣廼急上應太白鎮星其主蒼早諸丁歲也丁卯丁酉歲陽明上臨是謂天刑之歲也金歲承天天下勝於木故生氣失政草木再榮生氣失政故木華晚啓金氣抑木故秋夏始榮結實成熟以化氣急速故晚結成就也金氣勝木天應同之故太白之見光芒明盛木氣既少土氣無制故化氣生長急速木少金勝天氣應之故鎮星太白潤而明也蒼色之物又早凋落木少金乘故也。新校正云按不及五化獨紀木上臨陽明土上臨厥陰水上臨太陰不紀木上臨厥陰土上臨太陰金上臨陽明者經之旨各紀其甚者也故於太過運中只言火臨火水臨水此不及運中只言木臨金土臨木水臨土故不言厥陰臨木太陰臨土陽明臨金也

復則炎暑流火濕性燥柔脆草木焦槁下體再生華實齊化病寒熱瘡瘍痱胗癰痤上應熒惑太白其穀白堅

火氣復金夏生大熱故火燥物故柔脆草木及蔓延之類皆上乾死而下體再生若辛熱之草死不再生也小熱者死少大熱者死多火大復已土氣間至則涼雨降其酸苦甘鹹性寒之物乃再發生新開之與先結者齊承化而成熟火復其金太白減曜熒惑上應則益光芒加其宿屬則皆

災也以火反復故白堅之穀秀而不實白露早降收殺氣行寒雨害物蟲食甘黃脾土受邪赤氣後化心氣晚治上勝肺金白氣迺屈其穀不成欬而鼽上應熒惑太白星陽明上臨金自用事故白露早降寒涼大至則收殺氣行以太陽居土濕之位寒濕相合故寒雨害物少於成實金行伐木假途於土子居母內蟲之象也故甘物黃物蟲蠹食之清氣先勝熱氣後復復已乃勝故火赤之氣後生化也赤後化謂草木赤華及赤實者皆後時而再榮秀也其五藏則心氣晚王勝於肺心勝於肺則金之白氣乃屈退也金穀稻也鼽鼻中水出也金爲火勝天象應同故太白芒減

熒惑益明歲火不及寒迺大行長政不用物榮而下凝慘而甚則陽氣不化迺折榮美上應辰星火少水勝故寒乃大行長政不用則物容卑下火氣既少水氣洪盛天象出見辰星益明民病胷中痛脇支滿兩脇痛膺背肩胛間及兩臂内痛新校正云詳此證與火太過甚則反病之狀同傍見藏氣法時論鬱冒朦昧心痛暴瘖胷腹大脇下與腰背相引而痛新校正云按藏氣法時論云心虛則胷腹大脇下與腰背相引而痛甚則屈不能伸髖髀如別上應熒惑辰星其

穀丹諸癸歲也患以其脉行於是也火氣不行寒氣禁固髖髀如別屈不得伸水行乘火故熒惑芒減丹穀不成辰星臨其宿屬之分則皆災也復則埃鬱大雨且至黑氣迺辱病鶩溏腹滿食飲不下寒中腸鳴泄注腹痛暴攣痿痹足不任身上應鎮星辰星玄穀不成埃鬱雲雨土之用也復寒之氣必以濕濕氣內淫則生腹疾身重故如是也黑氣水氣也辱屈辱也鶩鴨也土復於水故鎮星明潤臨犯宿屬則民受病災也鶩音木歲土不及風迺大行化氣不令草木茂榮飄揚而甚秀而不實上應歲星

木無德也木氣專行故化氣不令生氣獨擅故草木茂榮飄揚而甚是木不以德土氣薄少故物實不成不實謂粃惡也土不及木秉之故歲星之見潤而明也民病飧泄霍亂體重腹痛筋骨繇復肌肉瞤酸善怒藏氣舉事蟄蟲早附咸病寒中上應歲星鎮星其穀黅諸已歲也風客於胃故病如是土氣不及水與齊化故藏氣舉事蟄蟲早附於陽氣之所人皆病中寒之疾也繇搖也筋骨搖動已復常則已繇復也土抑不伸若歲星臨宿屬則皆災○新校正云詳此文云筋骨繇復王氏雖注義不可解按至眞要大論云筋骨繇併疑此復字併字之誤復則收政嚴峻名木蒼

凋胃腸暴痛下引少腹善太息蟲食甘黃氣客於脾黅穀迺減民食少失味蒼穀迺損金氣復木故名木蒼凋金入於土母懷子也故甘物黃物蟲食其中金入土中故氣客於脾金氣大來與土仇復故黅減實穀不成也上應太白歲星太白芒盛歲減明也一經少此六字缺文上臨厥陰流水不冰蟄蟲來見藏氣不用白迺不復上應歲星民迺康巳亥巳巳歲厥陰上臨其歲少陽在泉火司于地故蟄蟲來見流水不冰也金不得復故歲星之象如常民康不病○新校正云詳木不及上臨陽明水不及上臨太陰俱後言復此先言復

而後舉上臨之候者蓋白乃不復兼於此年有復也歲金不及炎火迺行生氣迺用長氣專勝庶物以茂燥爍以行上應熒惑星火不務德而襲金危炎火既流則夏生大熱生氣舉用故庶物蕃茂燥爍氣至物不勝之爍勝之爍石流金涸泉焦草山澤燔燎雨乃不降炎火大盛天象應之熒惑之見而大明也民病肩背瞀重鼽嚏血便注下收氣迺後上應太白星其穀堅芒諸乙歲也瞀謂悶也受熱邪故生是病收金氣也火先勝故收氣後火氣勝金金不能盛若熒惑逆守宿屬之分皆受病○新校正云詳其穀堅芒白色可見故不云其穀白也經云上應太白以

前後例相照經脱熒惑二字及詳王注復則言熒惑逆守之事益知經中之闕也寒雨暴至迺零冰雹霜雪殺物陰厥且格陽反上行頭腦戸痛延及腦頂發熱上應辰星新校正云詳不及之運剋我者行勝我者之子來復當來復之後勝星減曜復星明大此只言上應辰星而不言熒惑者闕文也當云上應辰星熒惑丹穀不成民病口瘡甚則心痛寒氣折火則見冰雹霜雪冰雹先傷而霜雪後損皆寒氣之常也其災害乃傷於赤化也諸不及而爲勝所犯子氣復之者皆歸其方也陰厥謂寒逆也格至也亦拒也水行折火以救困金天象應之辰星明瑩赤色之穀爲霜雹損

之歲水不及濕乃大行長氣反用其化迺速暑雨數至上應鎮星濕大行謂數雨也化速謂物早成也火濕齊化故暑雨數至乘水不及而土勝之鎮星之象增益光明逆凌留犯其又甚矣民病腹滿身重濡泄寒瘍流水腰股痛發膕腨股膝不便煩寃足痿清厥脚下痛甚則胕腫藏氣不政腎氣不衡上應辰星其穀秬藏氣不能申其政令故腎氣不能内致和平衡平也辰星之應當減其明或遇鎮星臨屬宿者乃災○新校正云詳經云上應辰星注言鎮星以前後例相校此經闕鎮星二字上臨太

陰則大寒數舉蟄蟲早藏地積堅冰陽光不治民病寒疾於下甚則腹滿浮腫上應鎮星新校正詳木不及上臨陽明上應太白鎮星此獨言鎮星而不言熒惑者文闕也蓋水不及而又上臨太陰則鎮星明盛以應土氣專盛水既益弱則熒惑無畏而明大其主黅穀諸辛歲也辛丑辛未歲上臨太陰太陽在泉故大寒數舉也土氣專盛故鎮星益明黅穀應天歲成也復則大風暴發草偃木零生長不鮮面色時變筋骨併辟肉瞤瘛目視䀮䀮物疎璺肌肉胗發氣并鬲中痛於心腹黃氣

廼損其穀不登上應歲星木復其土故黃氣反損而黅穀不登也謂實不成無以登祭器也木氣暴復歲星下臨宿屬分者災。新校正云詳此當云上應歲星鎮星璺音問帝曰善願聞其時也岐伯曰悉乎哉問也木不及春有鳴條律暢之化則秋有霧露清涼之政春有慘悽殘賊之勝則夏有炎暑燔爍之復其眚東化和氣也勝金氣也復火氣也火復於金悉因其木故災眚之作皆在東方餘眚同。新校正云按木火不及先言春夏之化秋冬之政者先言木火之政化次言勝復之變也其藏肝其病內舍胠脇外在關節東方肝之主也火不及夏有炳明光顯之化則冬有嚴肅霜寒之政夏有慘悽凝冽之勝則不時有埃昏大雨之復其眚南化火德也勝水虐也復土變也南方火也其藏心其病內舍膺脇外在經絡南方心之主也土不及四維有埃雲潤澤之化則春有鳴條鼓折之政四維發振拉飄騰之變則秋有肅殺霖霪之復其眚四維東南東北西南西北方也維隅也謂日在四隅月也○新校正云詳土不及亦先言政化次言勝復也

其藏脾其病内舍心腹外在肌肉四支四維中央脾之主也金不及夏有光顯鬱蒸之令則冬有嚴凝整肅之應夏有炎爍燔燎之變則秋有冰雹霜雪之復其眚西其藏肺其病内舍膺脇肩背外在皮毛西方肺之主也水不及四維有湍潤埃雲之化則不時有和風生發之應四維發埃昏驟注之變則不時有飄蕩振拉之復其眚北飄蕩振拉大風所作○新校正云詳金水不及先言火土之化令與應故不當

秋冬而言也次言者火土勝復之變也與木火土之例不同者互文也其藏腎其病内舍腰脊骨髓外在谿谷踹膝肉之大會爲谷肉之小會爲谿肉分之間谿谷之會以行榮衛以會大氣夫五運之政猶權衡也高者抑之下者舉之化者應之變者復之此生長化成收藏之理氣之常也失常則天地四塞矣失常之理則天地四時之氣閉塞而無所運行故動必有靜勝必有復乃天地陰陽之道故曰天地之動靜神明爲之紀陰陽之往復寒暑彰其兆此之謂也新校正云

按故曰已下與五運行大論同上兩句又與陰陽應象大論文重彼云陰陽之升降寒暑彰其兆也帝曰夫子之言五氣之變四時之應可謂悉矣夫氣之動亂觸遇而作發無常會卒然災合何以期之岐伯曰夫氣之動變固不常在而德化政令災變不同其候也帝曰何謂也岐伯曰東方生風風生木其德敷和其化生榮其政舒啓其令風其變振發其災散落敷布也和和氣也榮滋榮也舒展也啓開也振怒也發出也散謂物飄零而散落也

○新校正云按五運行大論云其德爲和其化爲榮其政爲散其令宣發其變摧拉其眚爲隕義與此通南方生熱熱生火其德彰顯其化蕃茂其政明曜其令熱其變銷爍其災燔焫新校正云詳五運行大論云其德爲顯其化爲茂其政爲明其令鬱蒸其變炎爍其眚燔焫中央生濕濕生土其德溽蒸其化豐備其政安靜其令濕其變驟注其災霖潰溽濕也蒸熱也驟注急雨也霖久雨也潰爛泥也○新校正云按五運行大論云其德爲濡其化爲盈其政爲謐其令雲雨其變動注其眚淫潰謐音密西方生燥燥生金其德

清潔其化緊斂其政勁切其令燥其變肅殺其災蒼隕緊縮也斂收也勁鋭也切急也燥乾也肅殺謂風動草樹聲若乾也殺氣太甚則木青乾而落也○新校正云按五運行大論云其德爲清其化爲斂其政爲勁其令霧露其變肅殺其眚蒼落北方生寒寒生水其德凄滄其化清謐其政凝肅其令寒其變凓冽其災冰雪霜雹淒滄薄寒也謐靜也肅中外嚴整也凓冽甚寒也冰雪霜雹寒氣凝結所成水復火則非時而有也○新校正云按五運行大論云其德爲寒其化爲肅其政爲靜其變凝冽其眚冰雹是以察其動也有德有化有

政有令有變有災而物由之而人應之也夫德化政令和氣也其動靜勝復施於萬物皆悉生成變與災殺氣也其用暴速其動驟急其行損傷雖皆天地自爲動靜之用然物有不勝其動者且損且病且死焉帝曰夫子之言歲候不及其太過而上應五星今夫德化政令災眚變易非常而有也卒然而動其亦爲之變乎歧伯曰承天而行之故無妄動無不應也卒然而動者氣之交變也其不應焉故曰應常不應卒此之謂也德化政令氣之常也

災眚變易氣卒交會而有勝負者也常謂歲四時之氣不差晷刻者不常不久也帝曰其應奈何岐伯曰各從其氣化也歲星之化以風應之熒惑之化以熱應之鎮星之化以濕應之太白之化以燥應之辰星之化以寒應之氣變則應故各從其氣化也上文言復勝皆上應之今經言應常不應卒所謂無大變易而不應然其勝復當色有枯燥潤澤之異無見小大以應之帝曰其行之徐疾逆順何如岐伯曰以道留久逆守而小是謂省下以道謂順行留久謂過應留之日數也省下謂察天下人君之有德有過者也以道而去去而速來曲而過之是謂省

遺過也順行已去已去輒逆行而速委曲而經過是謂遺其過而輒省察之也行急行緩徃多徃少蓋謂罪之有大有小按其遺而斷之久留而環或離或附是謂議災與其德也環謂如環之遶盤廻而不去也火議罪金議殺土木水議德也應近則小應遠則大近謂犯星常在遠謂犯星去久大小謂喜慶及罰罪事芒而大倍常之一其化甚大常之二其眚卽也甚謂政令大行也發謂起也卽至也金火有之小常之一其化減小常之二是謂臨視省下之過與其德也省謂省察萬國人吏侯王有德有過者也故王侯人吏安

可不深思誠慎耶德者福之過者伐之有德者則天降福以應之有過者天降禍以淫之則知禍福無門惟人所召耳是以象之見也高而遠則小下而近則大見物之理也故大則喜怒邇小則禍福遠象見高而小既未即禍亦未即福象見下而大福既不遠禍亦未遥但當脩德省過以候厥終苟未能慎禍而務求福祐豈有是者哉歳運太過則運星北越火運火星木運木星之類也北越謂北而行也運氣相得則各行以道無剋伐之嫌故守常而各行於中道故歳運太過畏星失色而兼其母木失色而兼玄火失色而兼蒼

土失色而兼赤，金失色而兼黄，水失色而兼白，是謂兼其母也。不及則色兼其所不勝。木兼白色，火兼玄色，土兼蒼色，金兼赤色，水兼黄色，是謂兼不勝也。肖者瞿瞿，莫知其妙，閔閔之當，孰者爲良。新校正云：詳肖者至爲良，與靈蘭秘典論重，彼有注。妄行無徵，示畏侯王。不識天意，心私度之，妄言災咎，卒無徵驗，適足以示畏之兆於侯王，熒惑於庶民矣。帝曰：其災應何如？岐伯曰：亦各從其化也，故時至有盛衰，凌犯有逆順，留守有多少，形見有善惡，宿屬有勝負，徵應有吉凶矣。五星之至，相王爲時

盛因死爲衰東行凌犯爲順災輕西行凌犯
爲逆災重留守日多則災深留守日少則災
淺星喜潤則爲見善星怒燥憂喪則爲見惡
宿屬謂所生月之屬二十八宿及十二辰相
分所屬之位也命勝星不災不害不勝星爲
災小重命與星相得雖災無害災者獄訟疾
病之謂也雖五星凌犯之事時遇星之囚死
時月雖災不成然火犯留守逆臨則有誣譖
獄訟之憂金犯則有刑殺氣鬱之憂木犯則
有震驚風鼓之憂土犯則有中滿下利胕腫
之憂水犯則有寒氣衝稸
之憂故曰徵應有吉凶也帝曰其善惡何謂
也岐伯曰有喜有怒有憂有喪有澤有燥此
象之常也必謹察之夫五星之見也從夜深
見之人見之喜星之喜

也見之畏星之怒也光光色微曜乍明乍暗星之憂也光色迥然不彰不瑩不與衆同星之喪也光色圓明不盈不縮怡然瑩然星之喜也光色勃然臨人芒彩滿溢其象懔然星之怒也澤洪潤也燥乾枯也帝曰六者高下異乎岐伯曰象見高下其應一也故人亦應之觀象覩色則中外之應人天咸一矣帝曰善其德化政令之動靜損益皆何如岐伯曰夫德化政令災變不能相加也天地動靜陰陽往復以德報德以化報化政令災眚及動復亦然故曰不能相加也勝復盛衰不能相多也勝盛復盛勝微復微不應以盛報微以化報變故曰

不能相多也徃來小大不能相過也勝復日數多少皆同故曰
不能相過也用之升降不能相無也木之勝金必報火土金水
皆然未有勝而無報者故氣不能相使無也各從其動而復之耳
動必有復察動以言復也易曰吉凶悔吝生乎動此之謂歟天雖高不可度地雖廣不可
量以氣動復言之其猶視掌矣帝曰其病生何如岐伯曰德
化者氣之祥政令者氣之章變易者復之紀
災眚者傷之始氣相勝者和不相勝者病重
感於邪則甚也祥善應也章程也式也復紀謂報復之綱紀也重感謂年

氣已不及天氣又見剋殺之氣是爲重感重感重累也帝曰善所謂精光之論大聖之業宣明大道通於無窮究於無極也余聞之善言天者必應於人善言古者必驗於今善言氣者必彰於物善言應者同天地之化善言化言變者通神明之理非夫子孰能言至道歟太過不及歲化無窮氣交遷變流於無極然天垂象聖人則之以知吉凶何者歲太過而星大或明瑩歲不及而星小或失色故吉凶可指而見也吉凶者何謂物稟五常之氣以生成莫不上參應之有否有宜故曰吉凶斯至

矣故曰善言天者必應於人也言古之道而今必應之故曰善言古者必驗於今也化氣生成萬物皆稟故言氣應者以物明之故曰善言應者必彰於物也彰明也氣化之應如四時行萬物備故善言應者必同天地之造化也物生謂之化物極謂之變言萬物化變終始必契於神明運爲故言化變者通於神明之理聖人智周萬物無所不通故言必有發動無不應之也

迺擇良兆而藏之靈室每旦讀之命曰氣交變非齋戒不敢發愼傳也靈室謂靈蘭室黃帝之書府也○新校正云詳此文與六元正紀大論末同

○五常政大論篇第七十

新校正云詳此篇統論五運有平氣

不及太過之事次言地理有四方高下陰陽之異又言歲有不病而藏氣不應爲天氣制之而氣有所從之說仍言六氣五類相制勝而歲有胎孕不育之理而後明在泉六化五味有薄厚之異而以治法終之此篇之大槩如此而專名五常政大論者舉其所先者言也

黄帝問曰太虛寥廓五運迴薄衰盛不同損益相從願聞平氣何如而名何如而紀也岐伯對曰昭乎哉問也木曰敷和敷布和氣物以生榮火曰升明火氣高明土曰備化廣被化氣資於羣品金曰審平

金氣清審平而定水曰靜順水體清淨順於物也帝曰其不及
奈何岐伯曰木曰委和陽和之氣委屈而少用也火曰伏
明明曜之氣屈伏不伸土曰卑監土雖卑少尤監萬物之生化也金曰
從革從順革易堅成萬物水曰涸流水少故流注乾涸帝曰太
過何謂岐伯曰木曰發生宣發生氣萬物以榮火曰赫
曦盛明也土曰敦阜敦厚也阜高也土餘故高而厚金曰堅成
氣爽風勁堅成庶物水曰流衍衍泮衍溢也帝曰三氣之紀
願聞其候岐伯曰悉乎哉問也新校正云詳此論與五運

行大論及陰陽應象大論金匱眞言論相通敷和之紀木德周行陽舒陰布五化宣平自當其位不與物爭故五氣之化各布政令於四方無相干犯○新校正云按王注太過不及各紀年辰此平木運注不紀年辰者平氣之歲不可以定紀也或者欲補注云謂丁巳丁亥丁卯壬寅壬申歲者是未達也其氣端端直也麗也其性隨順於物化其用曲直曲直材幹皆應用也其化生榮木化宣行則物生榮而美其類草木木體堅高草形卑下然各有堅脆剛柔蔓結條屈者其政發散春氣發散物稟以生木之化也其候溫和和春之氣也其令風木之令行以和風其藏肝

五藏之氣與肝同肝其畏清清金令也木性暄故畏清五運行大論曰木其
性暄又曰燥勝風其主目陽升明見目與同也其穀麻色蒼也○新校
正云按金匱真言論云其穀麥與此不同其果李味酸也其實核中有
堅核者其應春四時之中春化同其蟲毛木化宣行則毛蟲生其
畜犬如草木之生無所避也○新校正云按金匱真言論篇云其畜雞其色
蒼木化宣行則物浮蒼翠也其養筋酸入筋其病裏急支滿
木氣所生○新校正云按金匱真言論云是以知病之在筋也其味酸木化敷和
則物酸味厚其音角調而直也其物中堅象土中之有木也其

數八成數也升明之紀正陽而治德施周普五化均衡均等也衡平也其氣高火炎上其性速火性躁疾其用燔灼灼燒也燔之與灼皆火之用其化蕃茂長氣盛故物大其類火五行之氣與火類同其政明曜德合高明火之政也其候炎暑氣之至也以是候之其令熱熱至乃行其藏心心氣應之心其畏寒寒水令也心性暑熱故畏寒五運行大論云其性暑暑又曰寒勝熱其主舌火以燭幽舌申明也其穀麥色赤也○新校正云按金匱真言論云其穀黍又藏氣法時論云麥也其果杏味苦也其實絡中有支絡者

其應夏四時之氣夏氣同其蟲羽羽火象也火化宣行故羽蟲生其畜馬健快躁速火類同○新校正云按金匱眞言論云其畜羊其色赤色同又明其養血其病瞤瘛火之性動也○新校正云按金匱眞言論云是以知病之在脉也瞤如勻切其味苦升明氣化則物苦味純其音徵和而美其物脉中多支脉火之化也其數七成數也

備化之紀氣協天休德流四政五化齊脩土之德靜分助四方贊成金木水火之政土之氣厚應天休和之氣以生長收藏終而復始故五化齊脩其氣平土之生也平而正其性順應順羣品悉化成也其用高下

田土高下皆應用也其化豐滿豐滿萬物非土化不可也其類土五行之化土類同其政安靜土體厚土德靜故政化亦然其候溽蒸溽濕也蒸熱也其令濕濕化不絕竭則上令延長其藏脾脾氣同脾其畏風風木令也脾性雖四氣兼并然其所主尤畏木也五運行大論云脾其性靜兼又曰風勝濕其主口土體包容口主受納其穀稷色黃也○新校正云按金匱真言論作積藏氣法時論作稉其果棗味甘也其實肉中有肌肉者其應長夏長夏謂長養之夏也六月氣同○新校正云按王注藏氣法時論云夏為土母土長於中以長而治故云長夏又注六節藏象論云所謂長夏

（者六月也土生於火長在夏中既長而王故云長夏）其蟲倮（飛毛羽鱗甲土形同）其畜牛（成彼稼穡土之用也牛之應用其緩而和）其色黃（土同也）其養肉（所養者厚而靜）其病否（土性擁礙〇新校正云按金匱眞言論云病在舌本是以知病之在肉也）其味甘（備化氣豐則物味甘厚）其音宮（大而重）其物膚（物稟備化之氣則多肌肉）其數五（生數也正土不虛如故也）

審平之紀收而不爭殺而無犯五化宣明（犯謂刑犯於物也收而不爭殺而無犯匪審平之德何以能爲是哉）其氣潔（金氣以潔白瑩明爲事）其性剛（性剛故摧缺於物）其用散落（金用則萬物散

落其化堅斂收斂堅強金之化也其類金審平之化金類同其政勁肅化急速而整肅也勁銳也其候清切清大涼也切急也風聲也其令燥燥乾也其藏肺肺氣之用同金化也其畏熱熱火令也肺性涼故畏火熱五運行大論曰肺其性涼其主鼻肺藏氣鼻通息也其穀稻色白也○新校正云按金匱眞言論作稻藏氣法時論作黃黍其果桃味辛也其實殼外有堅殼者其應秋四時之化秋氣同其蟲介外被堅甲者其畜雞性善鬬傷象金用也新校正云按金匱眞言論云其畜馬其色白色同也其養皮毛堅同也其病欬有聲

之病金之應也○新校正云按金匱眞言論云病在背是以知病之在皮毛其味辛審平化治則物辛味正其音商和利而揚其物外堅金化宣行則物體外堅其數九成數也靜順之紀藏而勿害治而善下五化咸整治化也水之性下所以德全江海所以爲百谷王者以其善下之也其氣明清靜明照水氣所生其性下歸流於下其用沃衍用非靜事故沫生而流溢沃沫也衍溢也其化凝堅藏氣布化則水物凝堅其類水靜順之化水同類其政流演井泉不竭河流不息則流演之義也其候凝肅凝寒也肅靜也寒來之氣候其令寒水令

宣行則寒同物化其藏腎腎藏之用同水化也腎其畏濕濕土氣也
腎性凜故畏土濕五運行大論曰腎其性凜其主二陰流注應同。新校正
云按金匱眞言論曰北方黑色入通於腎開竅於二陰其穀豆色黑也。新校
正云按金匱眞言論及藏氣法時論同其果栗味鹹也其實濡中有
津液也其應冬四時之化冬氣同其蟲鱗鱗水化生其畜彘
善下也彘豕也其色黑色同也其養骨髓氣入骨也其病厥
厥氣逆也凌上也倒行不順也。新校正云按金匱眞言論云病在谿是以知病之在骨
也其味鹹味同也其音羽深而和其物濡水化豐洽庶物

濡潤其數六成數也故生而勿殺長而勿罰化而勿制收而勿害藏而勿抑是謂平氣生氣主歲收氣不能縱其殺長氣主歲藏氣不能縱其罰化氣主歲生氣不能縱其制收氣主歲長氣不能縱其害藏氣主歲化氣不能縱其抑夫如是者皆天氣平地氣正五化之氣不以勝剋爲用故謂曰平和氣也委和之紀是謂勝生丁卯丁丑丁亥丁未丁酉丁巳之歲生氣不政化氣迺揚木少故生氣不政土寛故化氣迺揚長氣自平收令迺早火無忤犯故長氣自平木氣既少故收令迺早涼雨時降風雲並興涼金化也雨濕氣也風木化也雲濕氣也

草木晚榮蒼乾凋落金氣有餘木不能勝故也。新校正云詳委和之紀木不及而金氣乘之故蒼乾凋落非金氣有餘木不能勝也蓋木不足而金勝之也物秀而實膚肉內充歲生雖晚成者滿實上化氣速故如是其氣斂收斂兼金氣故其用聚不布散也其動緛戾拘緩緛縮短也戾了戾也拘拘急也緩不收也其發驚駭木屈卒伸驚駭象也其藏肝內應肝其果棗李棗土李木實也。新校正云詳李木實也按火土金水不及之果李當作桃王注亦非其實核殼核木殼金主其穀稷稻金土穀也其味酸辛味酸之物熟兼辛也其色白蒼蒼色之物熟兼白也其畜犬雞木從金畜其蟲毛介毛從介其主霧露淒滄金之化也其聲角商角從商其病搖動注恐木受邪也從金化也木不自政故化從金少角與判商同少角木不及故半與商金化同判半也○新校正云接火土金水之文判作少則此當云少角與少商同不云少商者蓋少角之運共有六年而丁巳丁亥上角與正角同丁卯丁酉上商與正商同丁未丁丑上宮與正宮同是六年者各有所同與火土金水之少運不同故不云同少商只大約而言半從商化也上角與正角同上見厥陰與數和歲化同謂丁亥丁巳歲上之所見者也上商與正商同上見陽明則與

平金歲化同丁卯丁酉歲上見陽明其病支發癰腫瘡瘍金刑木也其甘蟲子在母中邪傷肝也雖化悉與金同然其所傷則歸於肝木也上宮與正宮同上蓋其木與未出等也木未出土與無木同上自用事故與正上運歲化同也上見太陰是謂上宮丁丑丁未歲上見太陰同天之化也蕭飋肅殺則炎赫沸騰蕭飋肅殺金無德也炎赫沸騰火之復也飋音瑟眚於三火爲木復故其眚在東三東方也此言金之物勝也○新校正云按六元正紀大論云災三宮所謂復也復報復也其主飛蠹蛆雉飛羽蟲也蠹內生蟲也蛆蠅之生者此則物內自化爾雉鳥祥也迺爲雷霆雷謂大聲生於太虛雲瞑之中也霆謂迅雷卒

如火之暴著卽霹靂也伏明之紀是謂勝長藏氣勝長也謂癸酉癸未癸巳癸卯癸丑癸亥之歲也長氣不宜藏氣反布火之長氣不能施化故水之藏氣反布於時收氣自政化令廼衡金土之義與歲氣素無干犯故金自行其政土自平其氣寒清數舉暑令廼薄火氣不用故承化物生而不長火令不政故承化生之物皆不長也成實而稚遇化已老物實成熟苗尚稚短及遇化氣未長極而氣已老矣陽氣屈伏蟄蟲早藏陽不用而陰勝也若上臨癸卯癸酉歲則蟄反不藏○新校正云詳癸巳癸亥之歲蟄亦不藏其氣鬱鬱燠不舒暢其用暴速也其動彰伏變

易彰明也伏隱也變易謂不常其象見也其發痛痛由心所生其藏心藏運之氣通於心其果栗桃栗水桃金果也其實絡濡絡支脉也濡有汁也其穀豆稻豆水稻金穀也其味苦鹹苦兼鹹也其色玄丹色丹之物熟兼玄也其畜馬彘火從水畜其蟲羽鱗羽從鱗其主冰雪霜寒水之氣也其聲徵羽徵從羽其病昏惑悲忘火之燥動不拘常律陰冒陽火故昏惑不治心氣不足故喜悲善忘也從水化也火弱水強故伏明之紀半從水之政化少徵與少羽同火少故半從水化○新校正云詳少徵運六年内癸酉癸卯同正商癸巳

癸亥同歲會外癸未癸丑二年少徵與少羽同故不云判羽也上商與正商同歲上見陽明則與平金歲化同也癸卯及癸酉歲上見陽明○新校正云詳此不言上宮上角者蓋宮角於火無大尅伐故經不備言之邪傷心也受病者心凝慘凓列則暴雨霖霪凝慘凓列水無德也暴雨霖霪土之復也眚於九九南方也○新校正云按六元正紀大論云災九宮其主驟注雷霆震驚天地氣爭而生是變氣交之内害及粢盛及傷鱗類沈黔淫雨沈黔淫雨濕變所生也黔音陰又音今卑監之紀是謂減化謂化氣減少己巳己卯己丑己亥己酉己未之歲也化氣不令生政獨彰

土少而木專其用長氣整雨廼後收氣平不相干犯則平整化氣減故雨愆期風寒並興草木榮美風木也寒水也土少故寒氣得行生氣獨彰故草木敷榮而端美秀而不實成而粃也榮秀而美氣生於木化氣不滿故物實中空是以粃惡其氣散氣不安靜木且乘之從木之風故施散也其用靜定雖不能專政於時物然或舉用則終歸土德而靜定其動瘍涌分潰癰腫瘍瘡也涌嘔吐也分裂也潰爛也癰腫膿瘡也其發濡滯土性也濡濕也其藏脾主藏病其果李栗李木栗水果也其實濡核濡中有汁者核中堅者○新校正云詳前後濡實主水此

云

濡字當作肉王注亦非其穀豆麻豆水麻木穀也其味酸甘甘味之物熟兼酸也其色蒼黃色黃之物外兼蒼也其畜牛犬土從木畜其蟲倮毛倮從毛其主飄怒振發木之氣用也其聲宮角宮從角其病留滿否塞土氣擁礙故從木化也不勝故從他化少宮與少角同○土少故半從木化也新校正云詳少宮之運六年內除巳丑巳未與正宮同巳巳亥與正角同外有巳卯巳酉二年少宮與少角同故不云判角也上宮與正宮同上見太陰則與平土運生化同也巳丑巳未其歲見也上角與正角同上見厥陰則悉是歲和之紀也巳亥

巳巳其歲見也其病飧泄風之勝也邪傷脾也縱諸氣金病卽自傷脾○新校正云詳此不言上商者土爲金無相勉伐故經不紀之也又注云縱諸氣金病卽自傷脾也金字疑誤振拉飄揚則蒼乾散落振拉飄揚木無德也蒼乾散落金之復也其眚四維東南西南西北東北土之位也○新校正云按六元正紀大論云災五宮其主敗折虎狼虎狼猴豺豹鹿馬獐麂諸四足之獸害於粢盛及生命也麂音几清氣廼用生政廼辱金氣行則木氣屈從革之紀是謂折收火折金收之氣也謂乙丑乙亥乙酉乙未乙巳乙卯之歲也收氣廼後生氣廼揚後不及時也收

氣不能以時而行則生氣自應布揚而用之也長化合德火政迺宣
庶類以蕃火土之氣同生化也宣行也其氣揚順火也其用
躁切少雖後用用則切急隨火躁也其動鏗禁瞀厥鏗欬聲也禁謂
二陰禁止也瞀悶也厥謂氣上逆也鏗音坑瞀音冒其發欬喘欬金之有聲喘
肺藏氣也其藏肺主藏病其果李杏李木杏火果也其實殼
絡外有殼內有支絡之實也其穀麻麥麻木麥火穀也麥色赤也其味
苦辛苦味勝辛辛兼苦也其色白丹赤加白也其畜雞羊金從
火土之兼化也○新校正云詳火畜馬土畜牛今言羊故王注云從火土之兼化爲羊也

或者當去注中之土字甚非 其蟲介羽 介從羽 其主明曜炎爍 火之勝也 其聲商徵 商從徵 其病嚏欬鼽衄 金之病也 從火化也 火氣來勝故屈已以從之 少商與少徵同 金少故半同火化也○新校正云詳少商運六年內除乙卯乙酉同正商乙巳乙亥同正角外乙丑乙未二年爲少商同少徵故不云判徵也 上商與正商同 上見陽明則與平金運生化同乙卯乙酉其歲上見也 上角與正角同 上見厥陰則與平木運生化同乙巳乙亥其歲上見也○新校正云詳金土無相勝剋故經不言上宮與正宮同也 邪傷肺也 有邪之勝則歸肺 炎光赫烈則冰雪

霜雹炎光赫烈火無德也冰雪霜雹水之復也水復之作雹形如半珠○新校正云詳注云雹形如半珠半字疑誤眚於七七西方也○新校正云按六元正紀大論云災七宮其主鱗伏彘鼠突戾潛伏歲主縱之以傷赤實及羽類也歲氣早至迺生大寒水之化也涸流之紀是謂反陽陰氣不及反爲陽氣代之謂辛未辛巳辛卯辛酉辛亥辛丑之歲也藏令不舉化氣迺昌少水而土盛長氣宣布蟄蟲不藏太陽在泉經文背也厥陰陽明司天乃如經謂也土潤水泉減草木條茂榮秀滿盛長化之氣豐而厚也其氣滯從土也其用滲泄

不能流也其動堅止謂便寫也水少不濡則乾而堅止藏氣不能固則注下而奔速其發燥槁陰少而陽盛故爾其藏腎主藏病也其果棗杏棗土杏火果也其實濡肉濡水肉上化也其穀黍稷黍火稷土穀也○新校正云按本論上文麥為火之穀今言黍者疑麥字誤為黍也雖金匱眞言論作黍然本論作麥當從本論之文也其味甘鹹甘入於鹹味甘美也其色黅玄黃加黑也其畜彘牛水從土畜其蟲鱗倮鱗從倮其主埃鬱昬翳土之勝也其聲羽宮羽從宮其病痿厥堅下水土參并故如是從土化也不勝於土故從他化少羽與

少宮同水土各半化也○新校正云詳少羽之運六年内除辛丑辛未與正宮同外辛卯辛酉辛巳辛亥四歲爲同少宮故不言判宮也上宮與正宮同上見太陰則與平土運生化同辛丑辛未歲上見之○新校正云詳此不言上角上商者蓋水於金木無相尅伐故也其病癃閟癃小便不通閟大便乾澁不利也邪傷腎也邪勝則傷腎埃昏驟雨則振拉摧拔埃昏驟雨土之虐也振拉摧拔木之復也眚於一一北方也諸謂方者國郡州縣境之方也○新校正云按六元正紀大論云災一宮其主毛顯狐狢變化不藏毛顯謂毛蟲麞鹿麞麂猯兎虎狼顯見傷於黃宮貫兼害倮蟲之長也變化謂爲

魅狐狸當之不藏謂害豪盛鼠猯虎狸故乘
狢當之所謂毛顯不藏也猯他耑反
危而行不速而至暴虐無德災反及之微者
復微甚者復甚氣之常也通言五行氣少而
乘彼孤危恃乎強盛不召而往專肆威刑怨
禍自招又誰咎也假令木弱金氣來乘暴虐
蒼卒是無德也木被金害火必讎之金受火
燔則災及也夫如是者刑甚則復甚刑微則
復微氣動之常固其宜也五行之理咸迭然
乎○新校正云按五運不及之詳具氣交變
大論中發生之紀是謂啓敷物乘木氣以發生
而啓敷其容質也
是謂壬申壬寅壬子壬午壬辰
壬戌之六歲化也敷古陳字土踈泄蒼氣

達生氣上達是故土體疎泄木之專政故蒼氣上達達通也出也行也陽和布
化陰氣迺隨少陽先生發於萬物之表厥陰次隨營運於萬象之中也生
氣淳化萬物以榮歲木有餘金不來勝生令布化故物以舒榮其
化生其氣美木化宣行則物容端美其政散布散生榮無所不至
其令條舒條直也理也舒啓也端直舒啓萬物隨之發生之化無非順理者也
其動掉眩巔疾掉搖動也眩旋轉也巔上首也疾病氣也○新校正云詳
王不解其動之義按後敦阜之紀其動濡積并稸王注云動謂變動又堅成之紀其動暴
折瘍疰王注云動以生病蓋謂氣既變動因動以生病也則木火土金水之動義皆同也

又按王注脉要精微論云巔疾上巔疾也又注奇病論云巔謂上巔則頭首也此注云巔上也疾病氣也氣字爲衍字其德鳴靡啓折風氣所生○新校正云按六元正紀大論云其化鳴紊啓折其變振拉摧拔振謂振怒拉謂中折摧謂仆落拔謂出本○新校正按六元正紀大論同其穀麻稻木化齊金其畜雞犬齊雞孕也其果桃李李齊桃實也其色青黃白青加於黃白自正也其味酸甘辛酸入於甘辛齊化也其象春如春之氣布散陽和其經足厥陰少陽厥陰肝脉少陽膽脉其藏肝脾肝勝脾其蟲毛介木餘故毛齊介育其物中堅外堅中堅

有核之物齊等於皮殼之類也其病怒木餘故大角與上商同太過之木氣與金化齊等。新校正云按太過五運獨大角言與上商同餘四運並不言者疑此文為行上徵則其氣逆其病吐利上見少陰少陽則其氣逆行壬子壬午歲上見少陰壬寅壬申歲上見少陽木餘遇火故氣不順。新校正云按五運行大論云氣相得而病者以下臨上不當位也不云上羽者水臨木為相得故也不務其德則收氣復秋氣勁切甚則肅殺清氣大至草木凋零邪迺傷肝詩已大過凌犯於土土氣屯極金為復讎金行殺令故邪傷肝木也赫曦之紀是謂蕃茂物遇太陽則蕃而茂是謂戊辰戊寅戊子戊戌戊申戊午之歲也○新校正云按或云注中太陽當作大徵詳木土金水之太過注俱不言角商宮羽等運而水大過注云陰氣大行此火太過是物遇太陽也安得謂之大徵乎陰氣內化陽氣外榮陰陽之氣得其序也炎暑施化物得以昌長氣多故爾其化長其氣高長化行則物容大高氣達則物色明其政動華易其象不常也其令鳴顯火之用而有聲火之燔而有焰象無所隱則其信也顯露也其動炎灼妄擾妄謬也擾撓也其德暄暑鬱蒸熱化所生長於物也○新校正云按六元正紀大論云其化暄囂鬱燠又作暄曜其變炎烈沸

騰勝復之有極於是也其穀麥豆火齊水化也其畜羊彘齊孕育也○新校正云按本論上文馬為火之畜今言羊者疑馬字誤為羊金匱眞言論及藏氣法時論俱作羊然本論作馬當從本論之文也其果杏栗等實也其色赤白玄赤色加白黑自正也其辛苦辛鹹辛物兼苦與鹹化齊成也其象夏如夏氣之熱也其經手少陰太陽少陰心脉太陽小腸脉手厥陰少陽厥陰心包脉少陽三焦脉其藏心脉心勝肺其蟲羽鱗火餘故鱗羽齊化其物脉濡脉火物濡水物水火齊也○新校正云詳脉卽絡也文雖殊而義同其病笑瘧瘡瘍血流

狂妄目赤火盛故上羽與正徵同其收齊其病痓上見太陽則天氣且制故太過之火反與平火運生化同也戊辰戊戌歲上見之君平火運同則五常之氣無相凌犯故金收之氣生化同等上徵而收氣後也上見少陰少陽則其生化自政金氣不能與之齊化戊子戊午歲上見少陰戊寅戊申歲上見少陽火盛故收氣後化○新校正云按氣交變大論云歲火太過上臨少陰少陽火燔焫水泉涸物焦槁暴烈其政藏氣迺復時見凝慘甚則雨水霜雹切寒邪傷心也不務其德輕侮致之也○新校正云按氣交變大論云雨冰霜寒與此互文也敦阜之紀是謂廣

化土餘故化氣廣被於物也是謂甲子甲戌甲申甲午甲辰甲寅之歲也厚德清靜順長以盈土性順用無與物爭故德厚而不躁順火之長育使萬物化氣盈滿也至陰内實物化充成至陰土精氣也夫萬物所以化成者皆以至陰之靈氣生化於中也煙埃朦鬱見於厚土厚土山也煙埃土氣也大雨時行濕氣迺用燥政迺辟濕氣用則燥政辟自然之理爾其化圓其氣豐化氣豐圓以其清靜故也其政靜靜而能久故政常存其令周備氣暖故周備其動濡積并稸動謂變動其德柔潤重淳靜而柔潤故厚德常存○新校正云按六

元正紀大論云其化柔潤重澤其變震驚飄驟崩潰震驚雷霆之作也飄驟暴風雨至也大雨暴注則山崩土潰隨水流沒其穀稷麻土木齊化其畜牛犬齊孕育也其果棗李土齊木化其色黅玄蒼黃色加黑蒼自正也其味甘鹹酸甘入於鹹酸齊化也其象長夏六月之氣生化同其經足太陰陽明太陰脾脉陽明胃脉其藏脾腎脾勝腎其蟲倮毛土餘故毛倮齊化其物肌核肌土核木化也其病腹滿四支不舉土性靜故病如是○新校正云詳此不云上羽上徵者徵羽不能虧盈於土故無他候也大風迅至邪傷脾

也木盛怒土脾傷故堅成之紀是謂收引引斂也陽氣收陰氣
用故萬物收斂謂庚午庚辰庚寅庚子庚戌庚申之歲也天氣潔地氣明
秋氣高潔金氣同陽氣隨陰治化陽順陰而生化燥行其政
物以司成燥氣行化萬物專司其成熟無遺略也收氣繁布化
洽不終收殺氣早土之化不得終其用也○新校正云詳繁字疑誤其化
成其氣削減削也其政肅肅清也靜也其令銳切氣用
不屈動而急其動暴折瘍疰動以生病其德霧露蕭飋
燥之化也蕭飋風聲也靜爲霧露用則風生○新校正云按六元正紀大論德作化

變肅殺凋零隕墜於物其穀稻黍金火齊化也○新校正云按本論上文麥爲火之穀當言其穀稻麥其畜雞馬齊孕育也其果桃杏金火齊實其色白青丹丹白加於青丹自正也其味辛酸苦辛入酸苦齊化其象秋氣爽清潔如秋之化其經手太陰陽明太陰肺脉陽明大腸脉其藏肺肝肺勝肝其蟲介羽金餘故介羽齊育其物殼絡殼金絡火化也其病喘喝胷憑仰息金氣餘故上徵與正商同其生齊其病欬上見少陰少陽則天氣且抑故其生化與平金歲同庚子庚午歲上見少陰庚寅庚申歲上見少陽上火制金

故生氣與之齊化火乘金肺故病欬。○新校正云詳此不言上羽者水與金非相勝剋故

政暴變則名木不榮柔脆焦首長氣斯救大火流炎爍且至蔓將槁邪傷肺也變謂太甚也政太甚則生氣抑故木不榮草首焦死政暴不已則火氣發怒故火流炎爍至柔條蔓草脆之類皆乾死也火乘金氣故肺氣傷也

流衍之紀是謂封藏陰氣大行則天地封藏之化也謂丙寅丙子丙戌丙申丙午丙辰之歲也寒司物化天地嚴凝陰之氣也藏政以布長令不揚藏氣用則長化止故令不發揚其化凜其氣堅寒氣及物則堅定其政謐謐靜也

其令流注水之象也其動漂泄沃涌沃沫也涌溢也其德凝慘寒雰寒之化也○新校正云按六元正紀大論作其化凝慘慄冽其變冰雪霜雹非時而有其穀豆稷水齊土化其畜彘牛齊孕育也其果栗棗齊實其色黑丹䵒黃黑加於丹黃自正也其味鹹苦甘鹹入於苦甘化齊焉其象冬氣序凝肅似冬之化其經足少陰太陽少陰腎脉太陽膀胱脉其藏腎心腎勝心其蟲鱗倮水餘故鱗倮齊育其物濡滿濡水滿土化也○新校正云按土不及作肉土太過作肌此作滿互相成也其病脹水餘也上羽

而長氣不化也上見太陽則火不能布化以長養也丙辰丙戌之歲上見天符水運也○新校正云按氣交變大論云上臨太陽則雨氷雪霜不時降濕氣變物不云上徵者運所勝也政過則化氣大舉而埃昏氣交大雨時降邪傷腎也暴寒數舉是謂政過火被水復土來仇復故天地昏翳上水氣交大雨斷降而邪傷腎也故曰不恒其德則所勝來復政恒其理則所勝同化此之謂也不恒謂恃已有餘凌犯不勝恒謂守常之化不肆威刑如是則克已之氣歲同治化也○新校正云詳五運太過之說具氣交變大論中帝曰天不足西北左寒而右

涼地不滿東南，右熱而左温，其故何也？面巽言也。

歧伯曰：陰陽之氣，高下之理，大小之異也。高下謂地形，大小謂陰陽之氣盛衰之異。今中原地形西北方高，東南方下，西方涼，北方寒，東方温，南方熱，氣化猶然矣。東南方，陽也，陽者其精降於下，故右熱而左温；陽精下降，故地氣以温而和之於下矣。陽氣生於東而盛於南，故東方温而南方熱，氣之多少明矣。西北方，陰也，陰者其精奉於上，故左寒而右涼。陰精奉上，故地以寒而和之於上矣。陰氣生於西而盛於北，故西方涼而北方寒。君面巽而言，臣面乾而對也。○新校正云：詳天地

不足陰陽之說亦具陰陽應象大論中是以地有高下氣有溫
涼高者氣寒下者氣熱新校正云按六元正紀大論云至高之地
冬氣常在至下之地春氣常在故適寒涼者脹之溫熱者瘡
下之則脹已汗之則瘡已此湊理開閉之常
大小之異耳西北東南言其大也夫以氣候驗之中原地形所居者悉以居
高則寒處下則熱嘗試觀之高山多雪平川
多雨高山多寒平川多熱則高下寒熱可徵
見矣中華之地凡有高下之大者東西南北
各三分也其一者自漢蜀江南至海也二者
自漢江北至平遙縣也三者自平遙北山北
至蕃界北海也故南分大熱中分寒熱兼半

北分大寒南北分外寒熱尤極大熱之分其寒微太寒之分其熱微然而登陟極高山頂則南面北面寒熱懸殊榮枯倍異也又東西高下之別亦三矣其一者自汧源縣西至沙州二者自開封縣西至汧源縣三者自開封縣東至滄海也故東分大温中分温涼兼半西分大涼大温之分其寒五分之二大涼之分其熱五分之二温涼分外温涼尤極變為大暄大寒也約其大凡如此然九分之地寒極於東北熱極於西南九分之地其中有高下不同地高處則濕下處則燥此一方之中小異也若大而言之是則高下之有二也何者中原地形西高北高東下南下今百川滿湊東之滄海則東南西北高下可知一為地形高下故寒熱不同二則陰陽之氣有少有多故表温涼之異爾今以氣候驗之乃春氣

西行秋氣東行冬氣南行夏氣北行以中分校之自開封至汧源氣候正與曆候同以東行校之自開封至滄海每一百里秋氣至晚一日春氣發早一日西行校之自汧源縣西至蕃界磧石其以南向及西北東南者每四十里春氣發晚一日秋氣至早一日北向及東北西南者每一十五里春氣發晚一日秋氣至早一日南行校之川形有北向及東北西南者每五百里。新校正云按别本作十五里。陽氣行晚一日陰氣行早一日南向及東南西北川每一十五里熱氣至早一日寒氣至晚一日廣平之地則每五十里陽氣發早一日寒氣至晚一日北行校之川形有南向及東南西北者每二十五里陽氣行晚一日陰氣行早一日北向及東北西南川每一十五里寒氣至早一日熱氣至晚一日廣平之地則每二十里熱氣行晚一日寒氣至早一日大率如此然高處峻處冬氣常在平處下處夏氣常在觀其雪零草茂則可知矣然地土固有弓形川蛇形川月形川地勢不同生殺榮枯地同而天異凡此之類有离向丙向巽向乙向震向處則春氣早至秋氣晚至早晚校十五日有丁向坤向庚向兑向辛向乾向坎向艮向處則秋氣早至春氣晚至早晚亦校二十日是所謂帶山之地也審觀向背氣候可知寒涼之地湊理開少而閉多閉多則陽氣不散故適寒涼腹必脹也濕熱之地湊理開多而閉少開多則陽氣發散故往溫熱皮必瘡也下之則中氣不餘故脹已汗之則陽氣外泄故瘡已**帝曰其於壽夭何如**言土地居人之壽夭**岐伯曰陰精所奉其人**

壽陽精所降其人夭陰精所奉高之地也陽精所降下之地也陰方之地陽不妄泄寒氣外持邪不數中而正氣堅守故壽延陽方之地陽氣耗散發泄無度風濕數中真氣傾竭故夭折即事驗之今中原之境西北方衆人壽東南方衆人夭其中猶各有微甚爾此壽夭之大異也異方者審之乎帝曰善其病者治之奈何岐伯曰西北之氣散而寒之東南之氣收而溫之所謂同病異治也西方北方人皮膚閉腠理密人皆食熱故宜散宜寒東方南方人皮膚踈腠理開人皆食冷故宜收宜溫散謂溫浴使中外條達收謂溫中不解表也今土俗皆反之依而療之則反甚矣○新校正云詳分

方爲治亦具異法方宜論中故曰氣寒氣涼治以寒涼行水漬之氣溫氣熱治以溫熱強其內守必同其氣可使平也假者反之寒方以寒熱方以熱溫方以溫涼方以涼是正法也是同氣也行水漬之謂湯浸漬也平謂平調也若西方北方有冷病假熱方溫方以除之東方南方有熱疾須涼方寒方以療者則反上正法以取之帝曰善一州之氣生化壽夭不同其故何也岐伯曰高下之理地勢使然也崇高則陰氣治之汙下則陽氣治之陽勝者先天陰勝者後天

先天謂先天時也後天謂後天時也悉言土地生榮枯落之先後也物既有之人亦宜然

此地理之常生化之道也帝曰其有壽夭乎岐伯曰高者其氣壽下者其氣夭地之小大異也小者小異大者大異大謂東南西北相遠萬里許也小謂居所高下相近二十里三十里或百里許也地形高下懸倍不相計者以近爲小則十里二十里高下平漫氣相接者以遠爲小則三百里二百里地氣不同乃異也故治病者必明天道地理陰陽更勝氣之先後人之壽夭生化之期乃可以知人之形氣矣不明

天地之氣又昧陰陽之候則以壽爲夭以夭爲壽雖盡上聖救生之道畢經脉藥石之妙猶未免世中之誣斥也帝曰善其歲有不病而藏氣不應不用者何也岐伯曰天氣制之氣有所從也從謂從事於彼不及營於私應用之帝曰願卒聞之岐伯曰少陽司天火氣下臨肺氣上從白起金用草木眚火見燔焫革金且耗大暑以行欬嚏鼽衄鼻窒曰瘍寒熱胕腫寅申之歲候也臨謂御於下從謂從事於上起謂價高於市用謂用行刑罰也臨從起用同之革謂皮革亦謂革易也金謂器屬也

耗謂費用也火氣燔灼故曰生瘡瘡身瘡也瘍頭瘡也寒熱謂先寒而後熱則瘧疾也肺爲熱害水且救之水守肺中故爲胕腫胕腫謂腫滿按之不起此天氣之所生也○新校正云詳注云故曰生瘡瘡身瘡也瘍頭瘡也今經只言曰瘍㿔經脫一瘡字別本曰字作口一風行于地塵沙飛揚心痛胃脘痛厥逆鬲不通其主暴速厥陰在泉故風行于地風淫所勝故是病生馬少陽厥陰其化急速故病氣起發疾速而爲故云其主暴速此地氣不順而生是也○新校正云詳厥陰與少陽在泉言其主暴速其發機速故不言甚則某病也陽明司天燥氣下臨肝氣上從蒼起木用而立土廼眚淒

滄數至木伐草萎脇痛目赤掉振鼓慄筋痿不能久立卯酉之歲候也木用亦謂木功也淒滄大凉也此病之起天氣生焉暴熱至土廼暑陽氣鬱發小便變寒熱如瘧甚則心痛火行于槁流水不冰蟄蟲廼見少陰在泉熱盛于地而爲是也病之所有地氣生焉太陽司天寒氣下臨心氣上從而火且明新校正云詳火且明三字當作火用二字丹起金廼眚寒清時舉勝則水冰火氣高明心熱煩嗌乾善渴鼽嚏喜悲數欠熱氣妄行寒

廼復霜不時降善忘甚則心痛辰戌之歲候也寒清時舉太陽之令也火氣高明謂燔灼於物也不時謂大旱及偏害不循時令不普及於物也病之所起天氣生焉土廼潤水豐衍寒客至沈陰化濕氣變物水飲內稸中滿不食皮𤸷肉苛筋脉不利甚則胕腫身後癰太陰在泉濕盛于地而爲是也病之源始地氣生焉○新校正云詳身後癰當作身後難厥陰司天風氣下臨脾氣上從而土且隆黃起水廼眚土用革體重肌肉萎食減口爽風行太虛雲物搖動目

轉耳鳴巳亥之歲候也土隆土用革謂土氣有用而革易其體亦謂土功事也雲物搖動是謂風高此病所生天之氣也火縱其暴地廼暑大熱消爍赤沃下蟄蟲數見流水不冰少陽在泉火盛于地而爲是也病之宗兆地氣生焉其發機速少陽厥陽之氣變化卒急其爲疾病速若發機故曰其發機速少陰司天熱氣下臨肺氣上從白起金用草木眚喘嘔寒熱嚏鼽衄鼻窒大暑流行子午之歲候也熱司天氣故是病生天氣之作也甚則瘡瘍燔灼金爍石流天之交也地廼燥淒滄數至脇痛

善太息肅殺行草木變變謂變易容質也脇痛太息地氣生也

太陰司天濕氣下臨腎氣上從黑起水變新校正云詳前後文此少火廼眚三字埃冒雲雨胷中不利陰萎

氣大衰而不起不用新校正云詳不用二字當作水用當其

時反腰脽痛動轉不便也丑未之歲候也水變謂甘泉變鹹也埃土霧也冒不分遠也雲雨土化也脽謂臀肉也病之有者天氣生焉厥逆新校正云詳厥逆二字疑當連上文地廼藏陰大寒且至蟄蟲早

附心下否痛地裂冰堅少腹痛時害於食乘

金則止水增味迺鹹行水減也止水井泉也行水河津流泄者也止水雖長迺變常甘美而爲鹹味也病之有者地氣生馬○新校正云詳太陰司天之化不言甚則病某而云當其時又云乘金則云云者與前條互相發明也帝曰歲有胎孕不育治之不全何氣使然岐伯曰六氣五類有相勝制也同者盛之異者衰之此天地之道生化之常也故厥陰司天毛蟲靜羽蟲育介蟲不成謂乙巳丁巳己巳辛巳癸巳乙亥丁亥己亥辛亥癸亥之歲也靜無聲也亦謂靜退不先用事也羽爲火蟲氣同地也火制金化故介蟲

不成謂白色有甲之蟲少孕育也在泉毛蟲育倮蟲耗羽蟲不育地氣制土黃倮耗損歲乘木運其又甚也羽蟲不育少陽自抑之是則五寅五申歲也凡稱不育不成皆謂少非悉無也少陰司天羽蟲靜介蟲育毛蟲不成謂甲子丙子戊子庚子壬子甲午丙午戊午庚午壬午之歲也靜謂胡越鷰百舌鳥之類也是歲黑色毛蟲孕育少成在泉羽蟲育介蟲耗不育地氣制金白介蟲不育歲乘火運斯復甚焉是則五卯五酉歲也○新校正云詳介蟲耗以少陰在泉火剋金也介蟲不育以陽明在天自抑之也太陰司天倮蟲靜鱗蟲育羽蟲不成是謂乙丑丁丑己丑辛丑

癸丑乙未丁未己未辛未癸未之歲也倮蟲者謂人及蝦蟇之類也羽蟲謂青綠色者則鸚鵡鷲鳥翠碧鳥之類諸青綠色之有羽者歲乘金運其復甚哉鷲音列在泉倮蟲育鱗蟲新校正云詳此少一耗字不成地氣制水黑鱗不育歲乘土運而又甚焉是則五辰五戌是也少陽司天羽蟲靜毛蟲育倮蟲不成謂甲寅丙寅戊寅庚寅壬寅甲申丙申戊申庚申壬申之歲也倮蟲謂青綠色者也羽蟲謂黑色諸有羽翼者則越鷰百舌鳥之類是也在泉羽蟲育介蟲耗毛蟲不育地氣制金白介耗損歲乘火運其又甚也毛蟲不育天氣制之是則五巳五亥歲也陽明司天介蟲靜羽蟲育介

蟲不成謂乙卯丁卯己卯辛卯癸卯乙酉丁酉己酉辛酉癸酉之歲也羽爲火蟲故蕃育也介蟲之有赤色甲殼者也赤介不育天氣制之在泉介蟲育毛蟲耗羽蟲不成地氣制木黑毛蟲耗歲乘金運損復甚焉是則五子五午歲也羽蟲不就以上見少陰也太陽司天鱗蟲靜倮蟲育謂甲辰丙辰戊辰庚辰壬辰甲戌丙戌戊戌庚戌壬戌歲也倮蟲育地氣同也鱗蟲靜謂黃鱗不用也是歲雷霆少舉以天氣抑之也○新校正云詳此當云鱗蟲不成在泉鱗蟲耗倮蟲不育天氣制勝黃黑鱗耗是則五丑五未歲也○新校正云詳此當爲鱗蟲育羽蟲耗倮蟲不育註中鱗字亦當作羽諸乘所不成之

運則甚也乘木之運倮蟲不成乘火之運介蟲不成乘土之運鱗蟲不成乘金之運毛蟲不成乘水之運羽蟲不成當是歲者與上文同悉少能孕育也斯並運與氣同者運乘其勝復遇天符及歲會者十孕不全一二也故氣主有所制歲立有所生地氣制已勝天氣制勝已天制色地制形天氣隨已不勝者制之謂制其色也地氣隨己所勝者制之謂制其形也故又曰天制色地制形焉是以天地之間五類生化互有所勝互有所化互有所生互有所制五類衰盛各隨其氣之所宜也宜則蕃息故有胎孕不育治之不全此氣之常也天地之間有生之物

凡此五類也五謂毛羽倮鱗介也故曰毛蟲三百六十麟爲之長羽蟲三百六十鳳爲之長倮蟲三百六十人爲之長鱗蟲三百六十龍爲之長介蟲三百六十龜爲之長凡諸有形蚑行飛走喘息胎息大小高下青黃赤白黑身被毛羽鱗介者通而言之皆謂之蟲矣不具是四者皆爲倮蟲凡此五物皆有胎生卵生濕生化生因人致問言及五類也所謂中根也生氣之根本發自身形之中中根也非是五類則生氣根系悉因外物以成立去之則生氣絶矣根于外者亦五謂五味五色類也然木火土金水之形類悉假外物色藏乃能生化外物既去則生氣離絶故皆是根于外也○新校正云詳註中色藏二字當作巳成故生化之別有五氣五味

五色五類互宜也然是三十五者皆中根外悉有之五氣謂臊焦香腥腐也五味謂酸苦甘辛鹹也五色謂青黃赤白黑也五類有二矣其一者謂毛羽倮鱗介其二者謂燥濕液堅耎也夫如是等於萬物之中互有所宜也帝曰何謂也岐伯曰根於中者命曰神機神去則機息根于外者命曰氣立氣止則化絶諸有形之類根於中者生源繫天其所動浮皆神氣爲機發之主故其所爲也物莫之知是以神捨去則機發動用之道息矣根于外者生源繫地故其所生長化成收藏皆爲造化之氣所成立故其所出也物亦莫之知是以氣止息則生化結成之道絶滅矣其木火土金水燥濕液堅柔雖常

性不易及乎外物去生氣離根化絶止則其常體性顏色皆必小變移其舊也○新校正云按六微旨大論云出入廢則神機化滅升降息則氣立孤危故非出入則無以生長壯老已非升降則無以生長化收藏故各有制各有勝各有生各有成根中根外悉如是故曰不知年之所加氣之同異不足以言生化此之謂也新校正云按六節藏象論云不知年之所加氣之盛衰虚實之所起不可以爲工矣帝曰氣始而生化氣散而有形氣布而蕃育氣終而象變其致一也始謂始發動散謂流散於物中布謂布化於結成之形所終極於收藏之

用也故始動而生化流散而有形而化而成結終極而萬象皆變也卽事驗之天地之間有形之類其生也柔弱其死也堅強凡如此類皆謂變易生死之時形質是謂氣之終極○新校正云按天元紀大論云物生謂之化物極謂之變又六微旨大論云物之生從於化物之極由乎變變化相薄成敗之所由也

然而五味所資生化有薄厚成熟有少多終始不同其故何也岐伯曰地氣制之也非天不生而地不長也

天地雖無情於生化而生化之氣自有異同爾何者以地體之中有六入故也氣有同異故有生有化有不生有不化有少生少化有廣生廣化矣故天地之間無必生必化必不生必

不化必少生少化必廣生廣化也各隨其氣分所好所惡所異所同也帝曰願聞其道岐伯曰寒熱燥濕不同其化也舉寒熱燥濕四氣不同則溫清異化可知之矣故少陽在泉寒毒不生其味辛其治苦酸其穀蒼丹巳亥歲氣化也夫毒者皆五行慓盛暴烈之氣所爲也今火在地中其氣止熱寒毒之物氣與地殊生死不同故生少也火制金氣故味辛者不化也少陽之氣上奉厥陰故其歲化苦與酸也六氣主歲唯此歲通和木火相承故無間氣也苦丹地氣所化酸蒼天氣所生也餘所生化悉有上下勝剋故皆有間氣矣陽明在泉濕毒不生其味酸其氣濕新校

正云詳在泉六惟陽明與太陰在泉之歲云其氣濕其氣熱蓋以濕燥未見寒濕之氣故再云其氣也其治辛苦甘其穀丹素子午歲氣化也燥在地中其氣涼清故濕溫毒藥少生化也金木相制故味酸者少化也陽明之氣上奉少陰故其歲化辛與苦也辛素地氣也苦丹天氣也甘間氣也所以間金火之勝剋故兼治甘太陽在泉熱毒不生其味苦其治淡鹹其穀黅秬丑未歲氣化也寒在地中與熱殊化故其歲物熱毒不生水勝火味故當苦也太陽之氣上奉太陰故其氣化生淡鹹也太陰土氣上主於天氣遠而高故甘之化薄而爲淡也所以淡亦屬甘甘之類也淡黅天化也鹹秬地化也黅黃也○新校正云詳注云味故

當苦當作故味苦者不化傳寫誤也厥陰在泉清毒不生其味甘其治酸苦其穀蒼赤寅申歲氣化也溫在地中與清殊性故其歲物清毒不生木勝其土故味甘少化也厥陰之氣上合少陽所合之氣既無乖忤故其治化酸與苦也酸蒼地化也苦赤天化也氣無勝尅故不間氣以甘化也其氣專其味正厥陰少陽在泉之歲皆氣化專一其味純正然餘歲悉上下有勝尅之氣故皆有間氣間味矣少陰在泉寒毒不生其味辛其治辛苦甘其穀白丹卯酉歲氣化也熱在地中與寒殊化故其歲藥寒毒甚微火氣燥金故味辛少化也少陰陽明主天主地故皆所治苦與辛焉苦丹爲地氣所

育白辛爲天氣所生甘間氣也所以間止剋伐也太陰在泉燥毒不生其味鹹其氣熱其治甘鹹其穀黅秬辰戌歲氣化也地中有濕與燥不同故乾毒之物不生化也土制於水故味鹹少化也太陰之氣上承太陽故其歲化甘與鹹也甘黅地化也鹹秬天化也寒濕不爲大忤故間氣同而氣熱者應之化淳則鹹守氣專則辛化而俱治淳和也化淳謂少陽在泉之歲也火來居泉而反能化育是水鹹自守不與火爭化也氣專謂厥陰在泉之歲也木居于水而復下化金不受害故辛復生化與鹹俱王也唯此兩歲上下之氣無剋伐之嫌故辛得與鹹同應王而生化也餘歲皆上下有勝剋之變故其中間其味

兼化以緩其制抑餘苦鹹酸三味不同其生化也故天地之間藥物辛甘者多也故曰補上下者從之治上下者逆之以所在寒熱盛衰而調之上謂司天下謂在泉也司天地氣太過則逆其味以治之司天地氣不及則順其味以和之從順也故曰上取下取內取外取以求其過能毒者以厚藥不勝毒者以薄藥此之謂也上取謂以藥制有過之氣也制而不順則吐之下取謂以迅疾之藥除下病攻之不去則下之內取謂食及以藥內之審其寒熱而調之外取謂藥熨令所病氣調適也當寒反熱以冷調之當熱反寒以溫和之上盛不已吐而脫之王盛不已

下而奪之謂求得氣過之道也藥厚薄謂氣味厚薄者也○新校正云按甲乙經云胃厚色黑大骨肉肥者皆勝毒其瘦而薄胃者皆不勝毒又按異法方宜論云西方之民陵居而多風水土剛強不衣而褐薦華食而脂肥故邪不能傷其形體其病生於内其治宜毒藥

氣反者病在上取之下病在下取之上病在中傍取之下取謂寒逆於下而熱攻於上不利於下氣盈於上則温下以調之上取謂寒積於下温之不去陽藏不足則補其陽也傍取謂氣并於左則藥熨於右氣并於右則藥熨其左以和之必隨寒熱爲適凡是七者皆病無所逃動而必中斯爲妙用矣

治熱以寒温而行之治寒以熱涼而行之

治溫以清冷而行之治清以溫熱而行之氣性有剛柔形證有輕重方用有大小調制有寒溫盛大則順氣性以取之小耎則逆氣性以伐之氣殊則主必不容力倍則攻之必勝是則謂湯飲調氣之制也○新校正云按至真要大論云熱因寒用寒因熱用必伏其所主而先其所因其始則同其終則異可使破積可使潰堅可使氣和可使必已故消之削之吐之下之補之寫之久新同法量氣盛虛而行其法病之新久無異道也帝曰病在中而不實不堅且聚且散奈何岐伯曰悉乎哉問也無積者求其藏虛則補之隨病所在命其

藏以補之藥以祛之食以隨之食以無毒之藥隨湯丸以迫逐之使其盡也行水漬之和其中外可使畢已中外通和氣無流礙則釋然消散眞氣自平帝曰有毒無毒服有約乎岐伯曰病有久新方有大小有毒無毒固宜常制矣大毒治病十去其六下品藥毒毒之大也常毒治病十去其七中品藥毒次於下也小毒治病十去其八上品藥毒毒之小也無毒治病十去其九上品中品下品無毒藥悉謂之平穀肉果菜食養盡之無使過之傷其正

也大毒之性烈其爲傷也多小毒之性和其爲傷也少常毒之性減大毒之性一等加小毒之性一等所傷可知也故至約必止之以待來證爾然無毒之藥性雖平和久而多之則氣有偏勝則有偏絕久攻之則藏氣偏弱既弱且困不可長也故十去其九而止服至約已則以五穀五肉五果五菜隨五藏宜者食之已盡其餘病藥食兼行亦通也○新校正云按藏氣法時論云毒藥攻邪五穀爲養五果爲助五畜爲益五菜爲充不盡行復如法法謂前四約也餘病不盡然再行之毒之大小至約而止必無過也必先歲氣無伐天和歲有六氣分主有南面北面之政先知此六氣所在人脉至尺寸應之太陰所在其脉沉少陰所在其脉鉤厥陰所在其脉弦太陽所在

其脈大而長陽明所在其脈短而濇少陽所在其脈大而浮如是六脈則謂天和不識不知呼為寒熱攻寒令熱脈不變而熱疾已生制熱令寒脈如故而寒病又起欲求其適安可得乎夭枉之來率由於此

無盛盛無虛虛而遺人夭殃

不察虛實但思攻擊而盛者轉盛虛者轉虛萬端之病從茲而甚真氣日消病勢日侵殃咎之來苦夭之與難可逃也悲夫

無致邪無失正絕人長命

所謂伐天和也攻虛謂實是則致邪不識藏之虛斯為失正氣既死則為死之由矣

帝曰其久病者有氣從不康病去而瘠奈何

從謂順也

歧伯曰昭乎哉聖人之問也化不可代時

不可違化謂造化也代大匠斲猶傷其手況造化之氣人能以力代之乎夫生長收藏各應四時之化雖巧智者亦無能先時而致之明非人力所及由是觀之則物之生長收藏化必待其時世物之成敗理亂亦待其時也物既有之人亦宜然或言力必可致而能代造化違四時者妄也夫經絡以通血氣以從復其不足與衆齊同養之和之靜以待時謹守其氣無使傾移其形廼彰生氣以長命曰聖王故大要曰無代化無違時必養必和待其來復此之謂也帝曰善大要上古經法也引古之要旨以明時化之不

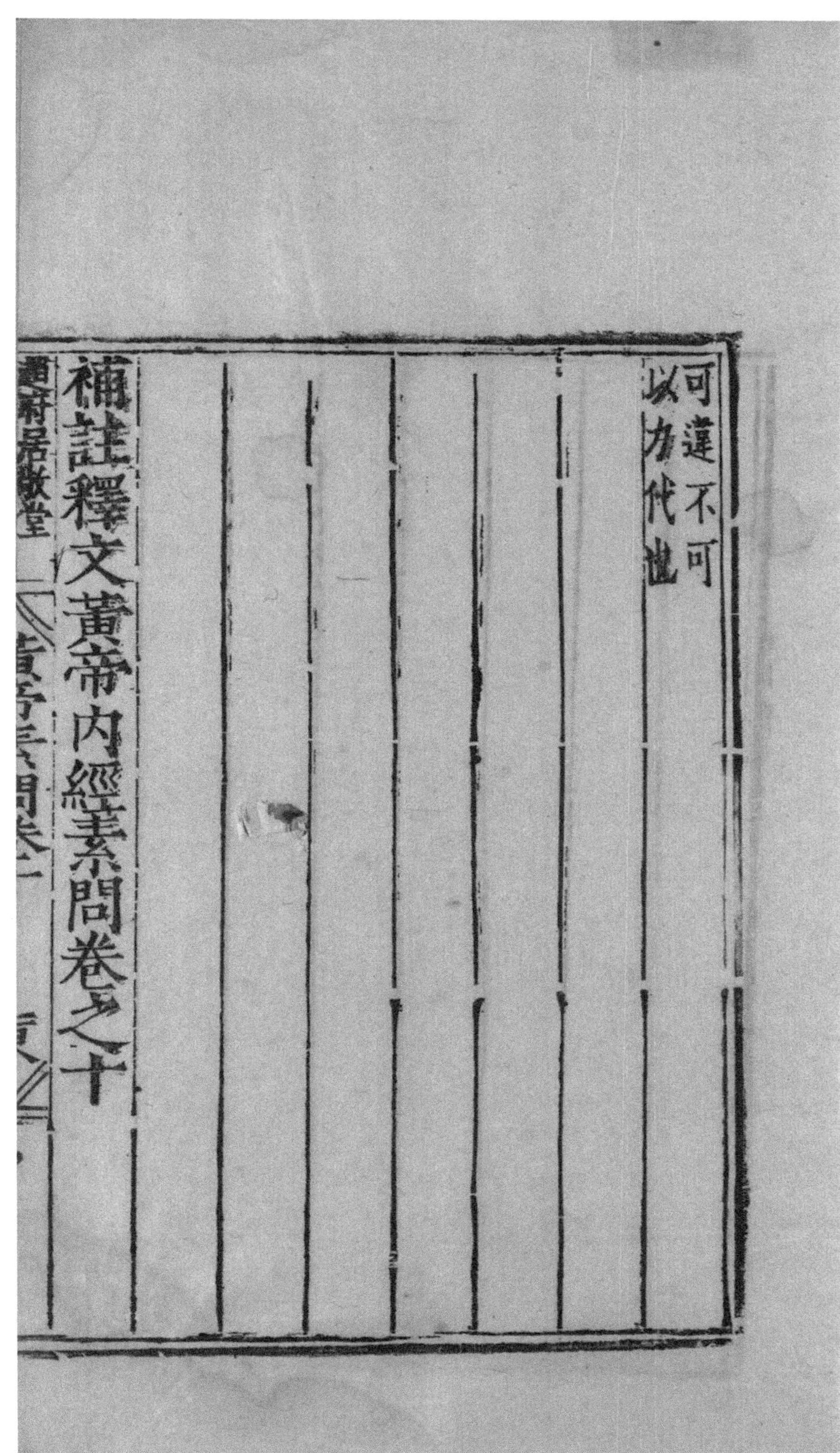

可違不可
以力代也

補註釋文黄帝内經素問卷之十

趙府居敬堂

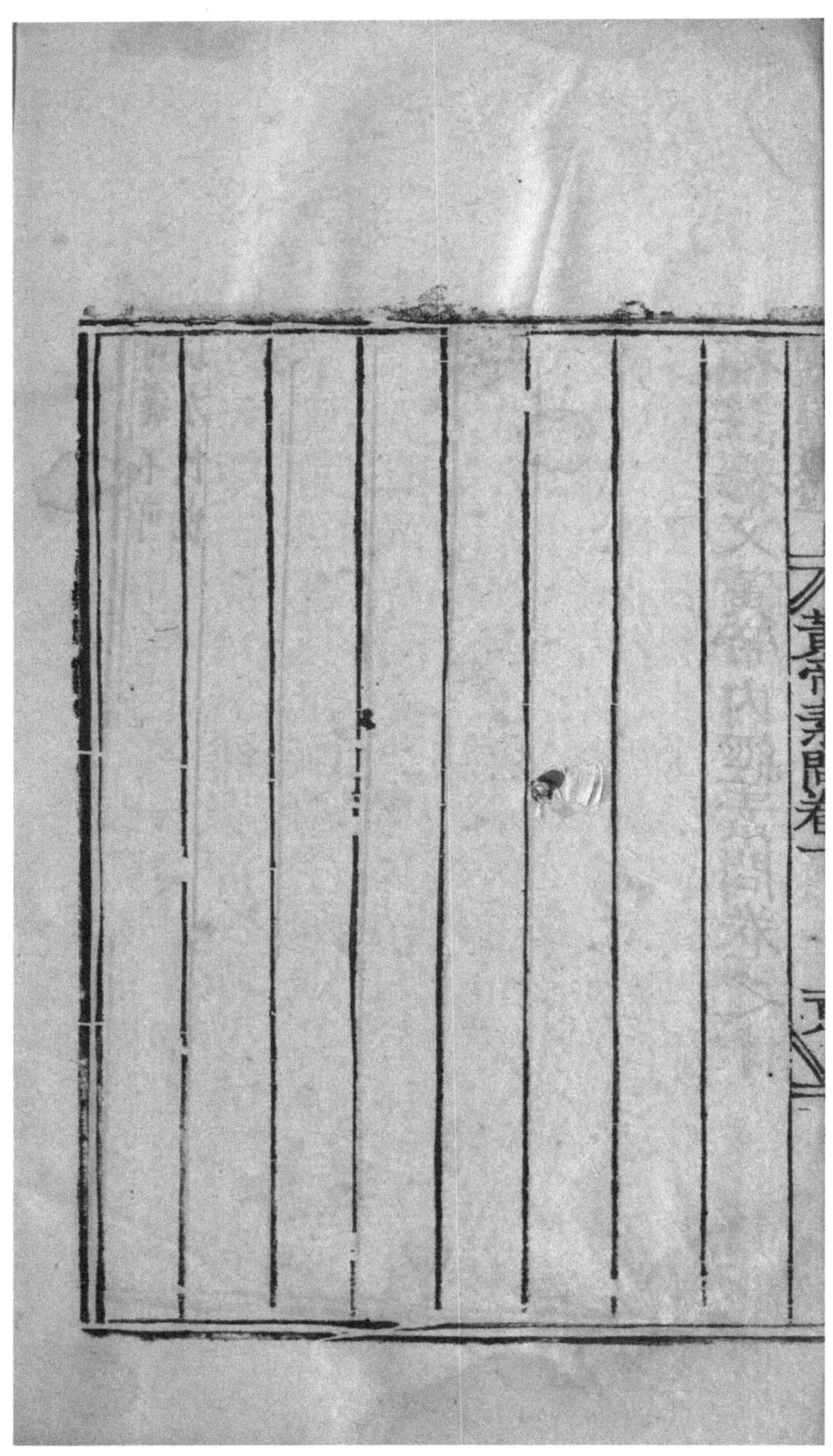